独立日

The Road
To The Independence

在读 Reading

私语境的倾诉

在读

Reading

02

私語書

黎戈 著

生活·讀書·新知三联书店 生活書店出版有限公司

黎戈

70后作家，原名许天乐，南京人。嗜好阅读，勤于动笔，文字有雅致且考究的趣味，风格优雅沉静。

作品发表于《人民文学》《今天》《鲤》等刊物，著有书籍《因自由而美丽》《静默有时，倾诉有时》《各自爱》《时间的果》等。

细节处，方能勇敢

我有很多银饰，但还是在继续收集，口袋里一有余钱，就去那家尼泊尔专卖店转悠——泰银雕琢过度，有点闺阁的脂粉气；藏银样式张扬，气势逼人，表演味太浓，和东方人平淡的五官搭配也不和谐；尼泊尔银比较中庸，为我所爱。相熟的店主看见我，就把银器端出来给我看。

宽幅的银镯，形制接近于古代的“钏”，上面有大朵大朵丰肥的、绵延的莲花，又蔓又枝，抵死缠绵。也有线条素丽的虾须镯，一大串戴在手上，配上莲步摇、罗裙摆、红袖招，颇能造点声势，可是我又嫌它啰唆，最后看中一只镶银的木镯，木质的部分嵌了两颗绿松石。心中忐忑着：价格不便宜，和全银的一样，而且尼泊尔银成色虽好于藏银，至多也不过是七五银，木头又易腐，一边犹疑一边继续试戴，手腕太细，

II

最小号的勉强挂住了。店主说：“嗯，这个，可以便宜点给你。”嘴巴向我努动一下，这才看见上面有个小小的、微微起伏的结疤。

之前还在犹疑呢，一下子就决定买下它了。我爱不完美的事物，不完美就是识别度，之前它只是个木头镯子而已，有结疤之后它就是我的了。它们的杂质让我觉得亲，生命之大美就是杂质之美。“此中有人，呼之欲出。”我从来也不能爱上一个非常英俊的男人，我觉得他们真是乏味啊。本雅明说，一个男人会爱上一个女人的软弱、怪念头、她脸上的斑点、皱纹、寒酸的衣着、崴着的步子……我是个女人，可是我的想法与他雷同，我总是爱上男人的卑琐、畏怯、孩子气、矮小、疲劳感、疲沓、黏滞、没翻好的一个衣领、丑丑的步态、难听的口音，像花鸟市场里，被挤到角落里的、最丑的那只小小狗，让人心生怜爱。栖息在他们的缺陷处，我才觉得安全。那是我们的暗号，帮我找到“我的”他们。

又试了好几条裹裙，浓、热、满，我是说上面的花饰，修身又冶艳，大家都说好看，可是我想不出用什么样的碎步来配它。它们真是美啊，如果穿在一百年前的印度女孩身上便是绝配。她们长着蜜色的皮肤，浓重的眉睫，住在和男人隔绝的内院里，在出嫁之前，连视线都没有被污染过。每天早晨她们起床汲水，从延至水面的石阶走下去，洗个凉水澡，顺便摘几朵莲花插瓶，开始身心俱净的一天。她们的自矜和从容，才配得上这样盛大的、狂欢气息的裙子。

或者买一条回去，用图钉钉在竹帘上，聊作装饰，好歹也是一种生活态度，生活卑琐可以，生活态度不能卑琐。可是我最大的享受也不过是：点一炷伽南香，拖干净地板，穿一条洗旧的睡裙，在清风徐来的阳台上看《诗经》，想象自己在河边走，空中在飘絮状物，那是某种植物的种子，菖蒲的清香从水面上飘过来。还有“参差荇菜，左右采之”的少女，她们的歌声从上游传过来。

我吃得不多，睡得很少，几件棉布衣服就可以过一个夏天，精神食粮还有一部分是从图书馆借来的。过去我会很想念那些我在市面上买不到的书，还完以后，还会把它们再借出来看看，现在好像也比较平和地看待离合了。我很耻于我是个物欲淡薄的人。泰戈尔说他小时候过的是微贱的生活，顶多是粗布口袋里能摸到一两个糖果，所以长大后，每个梨子他都能吃到核还觉得甜。我没有经历困窘的日子，对物质亦有温热的爱，可是要我踮起脚跟、奋力地争取它们，我很怕累着自己。肚子很饿的时候，两块五一碗的凉皮或一顿大餐，它们给我的满足度好像也差不多。我再也不能像二十岁那样，对每个牌子都能倒背如流，为一件买不起的衣服失眠到天亮。现在我还是会奢侈，在某些细节处，比如一个镯子，比如为一个人，恍惚片刻，那是波上千层浪中的一点白、长夏草木深中的一丝碧，在日常生活的洪流中，它很快就会被裹挟而去，转身不见。

目　录

第一章　微　物

第二章　百　合

第三章　深　渊

第一章 微物

枕头

最著名的枕头，当然是《枕中记》里那个。赶路的书生，蒙老道热情招待，俯就枕头时，发现枕头上的孔越来越大，渐渐恍惚，身入其中，做了一枕黄粱好梦。像我这样专好流连细节的人，就一直在琢磨那枕上的洞是怎么回事。其实很简单，因为书生用的是瓷枕，为了防止箱体在烧制过程中受热变形，瓷枕侧面一般会预留两个小孔。后来读笔记小说读多了，发现五代和唐宋之人，多用硬枕，瓷质居多，所谓“残梦不成离玉枕”“玉枕钗声碎”，指的都是瓷枕。因为古代女人就寝时，会松松地绾个睡髻，上插金钗，金钗和玉枕皆硬物，相撞时才会“钗声碎”“玉钗敲着枕函声”什么的。当然，枕头上的动作，直接造就了这些活跃的声效，所以，它也是有性暗示的。而且，比什么“尽君今日欢”“时闻款款娇声”要含蓄隐晦得多。

一直在想，古代人好像都不怎么畏寒似的，你想想杜甫、白居易他们，结庐造屋，都是木头墙体，茅草顶。顶多拦一道屏风，挂一个竹帘。后来看资料说，唐代时，全球气候是偏暖的，气温远高于今时。啊，这才明白，老杜老白他们为什么好瓷枕、竹枕、石枕——有种石枕是桃花石做的，上有天然石纹，隐约如花瓣坠于春风，这个意象真是太诗情了。到了明清，士大夫阶层的享乐要精致得多。你看史湘云醉卧花荫的芍药枕，还有宝玉用的那个，填塞了各类干花瓣，枕上无甚奇特，内里落英缤纷。芳气满闲轩，枕上好梦成。至于用干茶叶填制的枕头是自古就有，其功效雷同于李时珍所倡导的决明子枕头，就是至老明目什么的。其他植物参与的枕头还有：清热凉血的鸡冠花、补肝肾的女贞、舒缓神经的薰衣草，毋论其药效大小，它们都算是一种积极养生、向光的生活态度。

还有一种枕头取向，类似于精神养生，比如文震亨的“书枕”，用纸三大卷，状如碗，品字相叠，束缚成枕。说实话我不太喜欢此人，士子味道太浓稠了，文章架子也大。这种“书枕”固然风雅，但是，能舒服吗？我自己用过一个硬枕是荞麦芯的，触感生硬硌人。不管它宣称有什么明目助眠之功效，我也把它直接改制成靠枕了，这下化劣势为优势，它的生硬，摇身一变成了硬朗，躺着歪着靠着，皆有所恃。还给爸爸买过磁石枕，后来，他老人家的肩周炎确实治愈了，可是又得了眩晕症，因为睡硬枕老空悬着头的缘故。再后来，这个功过皆半的家伙，被我们塞进衣橱里，永不见天日了。

这些也罢了，居然还有一种枕头，是专为与肉体的软弱求安对抗的，比如北宋的司马光同志，用一个小圆木做枕头，睡觉时，只要稍动一下，头从枕上滑落，便立即惊醒，醒来之后继续发奋读书，他把这个枕头取名为“警枕”，这种行为艺术，与头悬梁、锥刺股，是一个系列的，即以身体自虐的方式，来谋得学习的积极性。个人觉得还是李渔的态度比较切实，且顾及身体舒适度。爱精美者，一物不使稍污，夏凉冬暖即可。是是，我不停地点头。洁净、素朴、简静、耐用，纯棉质地，触感柔软，带着亲切的体味。我对枕头的要求，和对男人差不多。想起来有个希腊女人，思路估计和我是重叠的，把枕头设计成了一个男人的臂弯。想想看，孤身返家的冬夜，如果有此物为伴，其滋味如何?

从细枝末节上，可以看出一个人的心性。周作人偏好日式居室，四壁萧然，几个坐褥，即可安住。支一小几在窗下，置一壶清茶，自斟自饮便好。卧具是收在橱里的，不占地方，颇有萧索之意趣。这个我也喜欢，没有物欲拖累的心，才是轻盈的。还有的枕头，情意浓浓，梁实秋的太太，啊，彼时还是他未婚妻，在他留美前，特地绣了一对枕头给他，上结了好多同心结，暗喻其情坚贞不移，其爱蜜意和美。有一次，梁伏枕一梦香甜，感而作诗一首，就是那首《梦后》，哈哈，怎么能想象，这就是和鲁迅对骂笔战、热血勃发的那个桀骜男人。“寤寐无为，辗转伏枕”，可是这个伏枕多甜蜜。后来枕套的丝线褪色，图案模糊了，他还留着……这才是真正的爱人枕。

要考究这类物质细节，最好在有恋物癖的作家文字里找线索。张小娴写过一篇小说，里面有个家居店小职员，暗恋一个男医生，卖给他的枕头里，她偷偷缝进了一封情书。希望有一天，他可以把枕头用烂，看到对他说的话。自然这是不可能的，希冀再华美，也只是一枕绮梦。但是正如我的朋友P同学所说，暗恋就是这样，“一辈子不出手，是最高贵的姿态”。至于张本人的枕头态度，哈哈，有阵子我看她给杂志*AMY*写的专栏，里面详尽介绍了她的物质生活，包括用的杯子、台灯、内衣裤等等，都是附着实物图解的。她用的枕头是一款意大利丝绸枕头，专程去买的，旅行都带在身边。“女人一定要备这种枕头啊，它能让你永远都不长皱纹！”哎呀呀，实在是聪明女人。文字里，浪漫得好像逛玫瑰花园长大似的，在生活中，却尽可能善待自己。小说里高蹈地出尘，现实中低调地务实。

张爱玲当然是要写实得多，她笔下的枕头，是香港沦陷时，女学生用来偷运大米的，结果学校里的老修女们，想象力太活跃，以为是“战争孤儿”，大大地惊恐了一场。这个情节应该是复制现实。三毛那个就难说了，她的枕头是装了钞票，抱在手上，去沙漠，千里迢迢投亲，哦，不对，应该说是投奔爱情用的。哈哈，后来她写《滚滚红尘》，里面那个沈韶华，也是从枕头里，摸了金戒指出来，给来人当小费。这部小说，据说取材自胡兰成与张爱玲的故事，可是，我觉得它更像三毛本人的超现实风格。亦舒嘛，人家是物质女郎，做她笔下的女人，真是三生有幸，穿戴行头一一细描。她们用的都是什么英国牌子（确实记不清了）的卧具。白色细纹布枕头，光面，无花边，无绣饰。质地精良，无款式，不是内行都看不出好处的，通常才是最贵的。这种奢侈物的把玩，也只有师太的文里才有。但是，真正把物质细节手到擒来的，都是大家出身的。比如内米洛夫斯基那样，本身就是大资产阶级家里的独养小姐，看她写妈妈从箱笼里拿出祖传的枕套什么，不屑一顾地，几笔闲文，水波不兴地就带过去了。

扇子

《东周列国志》里，看到过这样的插图：两个梳双髻的宫女，手执长柄大扇，立在对坐畅谈国事的公侯身后。这样的扇子多半是由奴仆执掌，象征性大于使用目的，它是表白强权的道具。准确地说，它是礼仪扇。汉代的扇子，则是用竹篾编成，其形制类似于现在的大号菜刀，扇柄附于一侧而不是居中，且开始落入平常百姓家。在古画中，常见一奴仆蹲踞扇火，大力使着一把扇子，扇子地位大跌。汉末有一些原理简单的机械扇，诸葛亮同学发明过诸葛扇，悬挂屋内，手拉使之转动生风，穿过千年时光隧道，在关于老上海的电影里，仍然可以看见理发店里有这种手拉的风扇。小伙计拉着一根绳，扇子左右缓移，那时间的纤维，也被拉长了，太太小姐们一边做头发，一边有一搭没一搭地拉家常。春日迟迟，欲睡昏昏。反正闲妇们有的是时间要打发，降那一点点心火，微风徐来的排扇也够了。

魏晋南北朝的扇子是羽扇，不用说是仿生原理的朴素运用，羽扇有十羽和八羽之分，后来进化成比翼扇，即以竹木为骨架，上糊以绢绸，只在末端象征性地饰以羽毛。羽扇是男人们的物事，是名士袖手清谈，恪显名士做派的道具，羽扇名人有“羽扇纶巾”的周公瑾及其对手诸葛先生。真不能想象，诸葛先生要是丢了他的三件套——羽扇、纶巾、四轮车，会不会风采全无呢？对了，这个“是真名士自风流”的精神意味，应该从它最早的使用者宋玉开始。春秋战国时，羽扇尚未风行，宋同学自携白鹤毛扇子赴宴，结果诸侯们掩口偷笑。宋同学岂是好捏的柿子？口若悬河，舌战群雄，反正一番口水战之后，终于取得压倒性胜利，完成了大力推广羽扇的历史重任。

隋唐时流行纨扇，又称团扇，初唐时盛行腰圆纨扇，中晚唐为满月式样，纨扇近于现代的绢扇，以竹木为骨，承风面大，手感轻盈，它的使用者转向深闺。“轻罗小扇扑流萤”，宝钗扑蝶时用的好像也是纨扇，整部《红楼梦》里，老成持重的薛宝钗流露少女性情的地方不多，这个执扇子扑蝴蝶的叙事角落，算一处。书里把她比作杨贵妃，隋唐女子都是腴美人，如果是骨重身宽的羽扇，用来扑蝶扑流萤，动作的幅度太大，会失了娇羞轻灵。同样的执纨扇扑蝶的场景，在《金瓶梅》里，是写潘金莲的娇媚。至于纨扇本身的意味，是又凉又苦。“秋来纨扇合收藏，何事佳人重感伤。”夏日酷暑，用时则亲之，宠之，收之，秋日生凉，不用扇子纳凉，就弃之，废之。“弃捐箧笥中，恩情中道绝。”自班婕妤的《怨歌行》来，纨扇就是暗喻弃妇的。薛、潘二人后来皆收场冷清，不知道作者有没有预置这层心思。

宋元后期开始使用的折扇，轻便、价廉、易携带，袖藏即可。市民图耐用，多用油纸扇，文艺青年大多使用素纸扇，图它可以挥毫泼墨，题诗作画。言情小说中，扇子是高频出现的传情道具，可撕，可咬，可指指戳戳。可煽情，比如李香君血溅桃花扇；可定情，比如西施赠扇给范蠡；可调情，比如陈经济送了一把湘妃竹的扇子给潘金莲；可伤情，《源氏物语》里，源氏公子是用一把扇子来置放夕颜花的，因为花的枝条很脆弱，不好用手拿的，真是“薄命花”，正如书里那些命相寒薄的女子；可试情，《枕草子》里的人，当然也是用扇的，有个并不太熟的男人，早起推门入户，就拿自己的扇子去够清少纳言枕边的扇子，不过后者没搭理他。《桃花扇》和《少奶奶的扇子》，都是靠一把扇子来抒情并且贯穿情节起落的。扇子还可绝情，《珍珠令》里，女主角赠男主角折扇一把，以示绝交。扇同“散”，和伞一样，是很不祥的赠物。

武侠小说里用折扇的也多，儒化的博雅侠客，琴啊书啊，体积太大，不便携带，手持一把小扇，以显其书生性情，还是很方便的。江南七怪里不是有个执扇的妙手书生吗？扇子里面还能藏暗箭、毒针什么的。有的扇子本身就是兵器，比如玉扇真人那把。

扇子还有一个重要功用是遮面障目，以示娇羞。西方电影里常可以看见，名媛贵妇手捏一把小折扇，手牵裙角，莲步轻移，旖旎而行。想想《仕女图》里的妮可·基德曼，再想想安娜·卡列尼娜手上的蕾丝扇子。歌剧里，也看见有淑女用一种很趣怪的面具扇，就是像威尼斯面具那样的东西，上面开了两只眼睛一样的小洞，把自己的面孔藏起来，以示畏怯。还有种扇子，是在扇顶安置了小镜子，这样可以观察到后面有没有猥琐男尾随。最著名的遮羞扇，应该是“桃花扇”吧，李香君被送进宫演《燕子笺》，李害羞不已，粉面含春，结果皇帝赐她一柄桃花扇遮面。像我这种心思粗糙、不解风情的女人，想破了头也想不出，一个以色事人的妓女，怎么会那样青涩呢？张岱笔下也有个如此行事的妓女，和人共枕数夜，一言不发。哎呀，这就是传说中的女人味吧。

除了利于示弱撒娇发怨气之外，扇子还可以彰显女子性情的刚烈。《金瓶梅》里撕扇子的那个是谁？年代久远，我已经忘了，就记得潘金莲站在人家临街的门楼上嗑瓜子了，噼里啪啦，瓜子皮在行人的头顶乱飞，觉得这个场景实在是出彩，她就是这么一股子泼悍气，对尘世间孜孜地，没脸没皮、没心没肺地黏嗒，总觉得她应该是有把扇子的，用来敲西门庆或是春梅。对前者是丹唇轻咬、轻起轻落的手势，对后者的手势就挟带一星儿酸风了。另外两个撕扇子名人，不用说是晴雯和李香君。前者是恃宠而骄，后者是心内成灰，撕扇子的气势想来也是一个雄浑，一个悲壮。

茉莉

乱七八糟地看了几本草木书，有些解惑了。之前一直不明白，为什么在古书里，有些花木是很少出场的，比如茉莉。现在知道了，原来，它不是中国的花。“茉莉原产印度、阿拉伯一带，中心产区在波斯湾附近，现广泛植栽于亚热带地区，也名没利、末丽。”哦，难怪。之前我是养过一盆茉莉的，很便宜，才五块钱，买菜时顺便带回来的。我是个植物白痴，只晓得昼夜浇水。现在，这盆茉莉的残尸，还在我家阁楼阳台上，沦为一盆杂草了。准备留着栽个蒜苗什么的。后来看见书上说茉莉嗜肥土，所谓“清兰花，浊茉莉”，要是早点埋些鱼肚肠就好了。

茉莉长得小家碧玉，并不以色迷人，小说里登场的茉莉，多是取香。朱文颖写过一篇《浮生》，是翻写芸娘和三白的故事。黄昏的时候，芸娘就会倚在窗边，翘首盼卖了画的三白归家，一边看对面卖茉莉的老婆子在忙活，树影映得人面皆绿。嗯，这是实景，沧浪亭附近，是有几棵苍莽大树。而在明清年间，也确实有类似习俗。午后，有小贩沿街叫卖茉莉花，主妇们买来穿了花球，或用铜丝穿结成飞鸟、鱼等图案，悬挂在碧纱橱里。茉莉在白天是含苞的，而到了夜里，则依次开放，平添香氛。李时珍《本草纲目》里写，其花皆夜开，芬香可爱。女人穿为首饰，或合面香。亦可熏茶，或蒸取液代蔷薇水。哈哈，还记得芸娘在荷花花芯里放茶叶的段子吗？茉莉熏茶肯定也是家常事吧。不过，说起来，花茶都是北方人爱喝的，因为茶叶吸味敏感，保留不易，长途运输中很容易变味，所以干脆就熏成花茶了，南方人多喝绿茶。过去老北京的茶叶店卖茉莉双熏，都是熏好的茶叶外，再撒几朵新鲜茉莉花，大一点规模的茶叶店，店堂上就种着茉莉花。

在成都时，常和他们喝茉莉花茶。五块钱一杯，用盖碗喝，尘土弥漫的小路边，大树浓荫下，老房子屋檐下，坐着一两个穿短褂的闲人，是茶摊主人，你要了花茶，先帮你用半杯水沏着，醒一下，最后用滚水冲开，不然，一开始就满杯水的话，那花会给烫死。至于那个碗盖，是用来撇开花沫的，这些，都是Y说的。大家一边喝茶，一边有一搭没一搭地说话，翻刚淘来的旧书，小J给我看他的萨洛特，我不喜欢，他说你都没有仔细逐行看，我说可是她的省略号太多了呀……很怀恋那个城市和我的朋友们，还有我的茉莉花茶时光。

至于茉莉水的记载，李渔那里有，他说希望女人都在沐浴后，涂抹一点香露，妙在似花非花，似露非露，似有似无之间。这个香露里就包括茉莉水。这种花露，掺了油以后，就是头油，晨起擦一点，可以保养头发的。还记得《红楼梦》里那几个小姑娘为了头油，和干妈干架的事吗？至于“喜出望外平儿理妆”里，用的是草茉莉的花粉。草茉莉就是我们平常说的紫茉莉，我们这里叫作晚饭花，随处可见的，紫的、黄的、白的、杂色的，缤纷烂漫。晨夕开放，余时闭合，小时候我喜欢收集它的花籽，像小地雷似的，有时会抓到形态类似的西瓜虫，吓一跳。

插个闲话，刚才我在想，汪曾祺的《人间草木》里，为什么没有写到草茉莉呢？这是江淮常见的花种啊。后来突然想起来，他写过，在《晚饭花集》的序里。他说这种花很野，撒籽即活，无足珍贵，但是家常亲切，平淡中孕育活泼的生命力。这点，和他的小说是相通的。啊，这正是它的亲民可爱处。草茉莉结籽之后，状如小赤豆，破开之后，里面有细腻的白粉，拿它上妆，匀净、润泽，比铅粉好。

再说回木本茉莉吧。它可以拿来酿酒，《金瓶梅》里，众妻妾聚餐，喝的就是茉莉花酒。这种花酒的酿制很诗情，是在装满白酒的瓶子里，液体上方一寸处，悬挂茉莉花串，然后密封保存，隔月乃成，开瓶时香气袭人。还可以做成茉莉香饮，方法是把一个涂了蜜的碗，倒扣在另外一个放了茉莉花的碗上，任由花香熏润蜜汁，半天之后取下，冲服，就是一碗香冽的茉莉饮了。古人的生活，真的是很精致的。

要是以花喻人的话，我倒觉得芸娘的气质有点像茉莉，反正是一种白色香花吧，看上去无甚大姿色，骨子里却很精灵可人，静心品玩，暗香自来。我这话，要放过去可不是什么恭维，中国人最喜欢把什么附加成精神图腾，比如蘅芜啊兰花啊，就高级，屈原、曹操抢着戴，而茉莉、桃花都低级。基本规律是，越难伺候的，越高级。那叫余什么的家伙，写《板桥杂记》的，说女人喜欢把茉莉簪头上，茉莉“开于枕上，媚夜之妖葩”，所以，是妖草。简直是欲加之罪。李渔算是客气的了：“茉莉一花，单为助妆而设，其天生以媚妇人者乎？”只是看作小女人气，也罢了。

茉莉也是常用人名，说起来很怪，叫茉莉的人，都是很可爱，而且蛮有主见的。还记得《阿拉丁》里那个茉莉公主吗？一定要排除众议为自己寻如意郎君，绝对不苟且一生。还有梁静茹的英文名字就叫茉莉，想起她的《美丽人生》MV，一手执烟，一边眺望田野远景时的自在佻傥，很低调的自主独立。

比较阴森的是马尔克斯笔下的茉莉，他说“茉莉是种会走路的花”，他写它附在鬼魂身上，凡在夜里闻着它的气味，就可以循着找到魂魄，太恐怖了。他好像是拉美人里比较喜欢茉莉的。小时候他家里的庭院里，种过这些。张爱玲的《茉莉香片》是苦的，正如其名，触鼻香浓，茶烟迷离，只可惜尝起来就是苦的。真要附会起来，我觉得茉莉的香，像暗恋，若有若无，似去还留，清淡致远，不离左右，小时候常读的一首席慕蓉的《茉莉》，到现在还记得：

茉莉好像

没有什么季节

在日里在夜里

时时开着小朵的

清香的蓓蕾

想你

好像也没有什么分别

在日里在夜里

在每一个

恍惚的刹那间

长裤

还在倒春寒呢，已经有好多小女生抢时间穿短裙了，加厚裤袜垫底，再加半高靴护体，有这么啰嗦劲不如穿长裤算了，也许放弃裙子的心态不一样，并不是简单生活原则就能释怀的，穿裙子比穿裤子麻烦，制约活动力，不便利，但是却婉约、妩媚和女性化得多。我喜欢穿裙子的女生，虽然我不穿，但我喜欢她们心里那个精致和温软的折角。她们对我，是一种异质的吸引。

长裤对于女人，可以是一种最简约的独立宣言，比如乔治·桑。她是真正的混血气质，不是指血统，而是指出身的落差。她妈妈是个随军妓女，而她爸爸是个男爵。她自幼在一个大庄园里孤独地长大，和尤瑟纳尔一样，因为没有参照系，只好把自己活成了一个自转的星系。她的棱角从来也没有被打磨的机会，所以她根本用不着在人群里制造个性凸显自己，作为彼时法国唯一一个养活自己，且顺手养活情人的女人，穿长裤、马甲、马靴，抽烟斗，出没文学沙龙，只是她幼年穿着骑马装，独自涉水远足的延伸线而已。

对于乔治·桑而言，长裤也是一种态度。如果说她选择用男名出入文坛，是为了赢得一种没有被偏见污染的解读，不至于让读者打开卷首就进入阅读闺阁文学的闲散和惰性中，那穿长裤就是她在用身体语言说："我，生而为我，是多么愉悦的事情，我很享受这个，对我来说生活就是此时，这一刻，永远是最好的，我只追随自己的本性做事，散步，骑马，穿男装在田头睡午觉，自由选择情人，别想拿狭隘的女性行为路径拘泥住我。"

这个当时法国唯一一个穿长裤的女人很幸运，生在一个新旧价值观交接的年代，整个浪漫派阵营，都是她的精神后盾，所以，得罪主流审美观，对她来说只有娱乐的快感，而不必付出离群的惨重代价。如果早生一百年，她的叛逆激情会把她送进疯人院；晚一百年，她难免不被草草塞到西蒙·波伏瓦的女权模式里去，事实上乔治·桑的可爱处恰恰在于，她的热力，既不是宗教情绪式的献祭热情，也不是女权分子式的两性对抗。她就是一个女人的原始欲力和自由意志，她爱男人，也在享受他们的爱，到了六十岁她还在坚持洗冷水澡，只是为了让身体保持最佳状态，皮肤紧实，欲力充沛，好和那个比她小二十二岁的男人共享鱼水之欢。她在爱能上，和她在物质上一样慷慨大方，那种貌似清淡的、碎碎的小喜欢，可满足不了她的大胃口，“我被一口口地、断断续续地弄得筋疲力尽，我站立不住，多么疯狂的幸福”。哈哈，这就是两百年前的妇女解放性爱日记。

有时，穿长裤的女人会爱上一个穿长裙的女人，比如麦卡勒斯对凯·安·波特。以上两位女士都隶属于美国南方作家群。这个文学团体，就像中国的江南作家群一样，都是我的最爱。居移气，养移体，文气一样是受地气和血统影响的，他们的文字里，都有分外纤细的神经末梢，阴湿的情绪流，暗影中出没的情节。制造这些文字的南方派作家身上，也有相应的配置，凯·安·波特是老式的南方派淑女，这种女孩子在《飘》里俯拾皆是。她们是骨架沉重、品质精良的老红木家具：尘土飞扬的旅途中，头发也要梳得一丝不乱；战火喧嚣的太平洋舰队上，也要用骨瓷杯喝咖啡。沉淀在骨子里的世家修养，通身的贵族气派，一举手，一投足，都有传统的重量，这个修养里的一个默认值，就是女士一定要穿裙装。

可是麦卡勒斯呢，上帝造她时肯定是分了心，造到半路就丢了手，既没有给她配备女性的妩媚身线，也没有给她善于讨好的甜美性格，她就是她笔下的弗兰淇，“一切都得从弗兰淇十二岁的那个夏天说起，这个夏天，她离群已久，她不属于任何一个团体，她无所依附”。只是开篇的一句话，汹涌的痛感扑面而来，如果你曾经是一个被群体排斥的孩子，如果你有一个被群体排斥的孩子，你就会明白。麦卡勒斯老是让我想起《男孩不哭》里那个女孩，孤绝、倨傲、中性，游离在人群的边缘，想凑近人气密集的地方取暖，不得，也不怒，只是扁起嘴角，几丝自嘲，装出一副不在乎的萧然，因为没有自怜的黏液来润滑伤口，连痛都是生冷的干痛，反正不能见容于主流审美，索性来点孩子气的恶作剧，彻底走到对立面去自宠好了……麦卡勒斯也是个一生都穿男装的女孩。她的奇装异服是她随身携带的小型舞台，她自己是出入其中的唯一舞者、舞美、导演和观者。它让她可以保护好自己的被疏离，安全地自恋着。

且不提反常的性向，就是穿长裤，衣衫邋遢，不修边幅，就足以让凯·安·波特彻底厌弃麦卡勒斯了，想想郝思嘉因为不带阳伞就被黑妈妈训斥的场景，老式淑女的教养，有时甚至是一种洁癖，对不谙此道的麦卡勒斯而言，则干脆是一个屏障。南方淑女的外柔内刚，我们在《飘》里见得多了，所以，当麦卡勒斯絮絮地敲着波特的房门而后者无动于衷时，基本吻合我的预想，可是以下的发展多少让我有点吃惊：当波特以为麦卡勒斯已经知难而退而打开房门时，却发现后者匍匐在门槛下准备爬进来，这时，她居然从后者身上目不斜视地跨过去了！我想在这场角逐中，穿长裙的打败了穿长裤的，因为，波特的理直气壮是有一个阶层的价值观，对自己是个正常人的自得，占领道德高地的优越感，是被这些内在力量支撑着的。麦卡勒斯有什么？孩子气的遗世独立，暂且达到最高峰值、可以冲破理智堤坝的感情，一旦峰值回落，她会比任何人都尴尬，所以，如果说穿长裤的女人强势，那只是表象。

示弱和媚人，是旧时女人最基本的两个技术活，穿裙子操作起来一定比穿裤子方便，所以，赫本一定是穿裙装的，而嘉宝肯定是穿裤装的。赫本小时候被爸爸抛弃过，虽然有维多利亚式的淑女教养使她自制，既不多话也不滥情，但她骨子里是个情绪化且没有安全感的人，每次上台演出前都瑟瑟如风中荷叶。也许这才是她最动人的地方，一种惹人爱怜的无助。嘉宝整个人大概都融入进了她的角色“瑞典女王”

中，硬朗、专权、独立、自持，完全不介意外界的坐标。

我有个远方的姑母，从小被当男孩养的，一辈子都没穿过裙子，“文革”时去了新疆建设兵团，千里塞外，明月孤灯，耳鬓厮磨，青春期的萌动，眼前却没有合适的触媒，结果恋上了同屋一个温柔婉转、纤柔弱质的女孩子，两人好得如胶似漆，后来人家动用关系提前回城了。我这个姑妈没哭也没闹，闷着头给她准备了一篮子吃食，送人家回来的路上就跳了马车，后来我一直在想那个场景：漫天大雪，如絮如柳如烟，疾驰的马车。一个穿红衣服的女孩子，内心决绝如铁，眼里冻结着杀气……当然她没死，她也胡乱嫁了个男人，借此回了城，女儿还在襁褓中就离了婚，法庭上男方痛斥她：“滚热的热水瓶啊，就那么劈头盖脸地扔过来。”她惨淡地笑，并不否认，更没提他在外面有人。我家里人一直说男方龌龊诽谤她，我却暗想她是做得出的，我这个姑母，爱恨都好走极端，没有调和的中间路线，爱就是生死相随的狂爱，恨就是欲置对方于死地而后快。我爸一直说我的烈性有点像姑母，我想到底是不同的，她是在刀锋上赤足走过，知道那种凌虐痛感的人，是真正豁出自己，无所保留的人，我怎么舍得……她再也没有结过婚。

野菜

春来的一大快事，是食野菜。农业社会时，还有采摘的乐趣：妇女平日皆是拘于一室，杂事拖累，甚少户外活动，开春之际，头面收拾整齐，出去踏青、扫墓、采野菜，都是闺阁生活中仅有的发光时刻。这个盛景，在周作人笔下有，看他的日记，写上坟的日志里，多记花木事。“山野间无花木可取，妇孺们多采摘紫云英，小孩做花球，鲜红可玩，妇人们则拿它的嫩茎做菜。”紫云英是一种低贱的野菜，江浙的叫法是“红花郎”，乡人不屑食用，常常踩了它的茎叶做肥料，花开时颇可观，如一片锦绣地毯。浙东的做法是用腌菜卤煮，味道据说如鲜嫩的豌豆苗。

紫云英我没有吃过，豌豆苗倒是常常吃的。这个“豌”字我们这里读“ān”的音。我奶奶是扬州江都人，嗜好这一口。初春的时候常常炒来吃，在饭店里它的学名叫豆苗，油盐爆炒即可盛盘上桌，鲜绿可爱，满目春色。梁实秋喜欢吃芙蓉鸡片，起锅时配两根豌豆苗，有配色和调味之妙用，似不是我们南方人的吃法。又有人说豌豆苗是《诗经》里的“薇”，《采薇》大家都是记得的，“采薇采薇，薇亦作止。曰归曰归，岁亦莫止”。“昔我往矣，杨柳依依。今我来思，雨雪霏霏。行道迟迟，载渴载饥。我心伤悲，莫知我哀。”《诗经》的朴素，很重要的一点是因为，它的兴赋都发源于日常物事、手头之物，眼前可见的，可见“薇”是古代人常食的东西。

说到江南初春的野菜，不可不提蒌蒿（我们一般称之为芦蒿），这是南京八卦洲的特产，因其不需要任何种植技术，有沼地和滩涂的地方，随手可植，如今已经在各地普及。最早出现蒌蒿的典籍，当然还是《诗经》（说实话，我常常把《诗经》当植物志看）。《汉广》里的“言刈其蒌”，这个“蒌”就是“蒌蒿”，“汉广”的“汉”是汉水，蒌蒿是长在水边的嘛。汪曾祺的《大淖纪事》里面，巧云和十一子幽会的地方，就是一片蒌蒿地。“春初水暖，大淖上冒出很多紫红的芦芽和灰绿的蒌蒿，很快便一片翠绿了。”——蒌蒿的生长期短，成

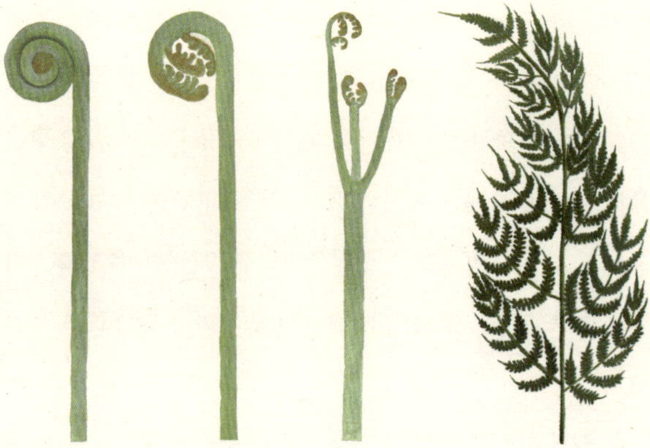

熟以后要雇人来采，不然它很快就老了，去年雪灾，八卦洲路被封，损失最大的是种蒌蒿的菜农。

关于蒌蒿的味道，汪老先生有具体的注释：生长于水边的野草，粗如笔管，有节，加肉炒食极清香，有如初涨春水。蒌蒿的香气很难形容，附之于文学化语言，就飘了，那种蒿类植物意兴扬扬的清鲜气味，只可意会。汪曾祺说的很明显是野生蒌蒿，不是现在那种大棚出来的统货。野生蒌蒿是紫红灰绿的，香气更盛，根系粗大，一脸桀骜神色。大棚蒌蒿，按车前子的说法“差不多就是一根绿色塑料管”。蒌蒿一般爆炒，取其鲜嫩，荤素皆可，荤食加咸肉，切丝就好了，好比二八少女偕白衣公子。肉片就太粗拙了，不配蒌蒿的娇嫩，素食是配臭干，后者之异臭丑型，正好可以反衬前者的暗香清秀。上次武汉朋友过来，吃了蒌蒿以后，告诉我，他们那里确实无此物，但是有一种叫黎蒿的东西，有点类似蒌蒿。

每次去乡下上坟，必吃的还有马兰头。绍兴童谣曰：“荠菜马兰头，姐姐嫁在后门头。”这是江南人家常食的野菜，我去田间挖过，长在田垄菜地边角，好像也没有人特地点播它，就那么灰头土脸，背天伏地地长着。挎个小竹篮，瞅准了，拿小铲刀一挖即得。我妈惯用热油爆炒，多放油，少撒糖，倒也清鲜，就是像被招安的山寨土匪一样，比凉拌少了几分野味。车前子那个比喻特好玩，“马兰头让我想起曹雪芹，穷归穷，家里还有三担铜”。车前子的形容常常像禅宗公案，我的直解是，马兰头的苦味可玩，并不单薄……我觉得车前子的比喻很切合马兰头初食微涩、继而在舌尖上漫漶开的回味，很温柔的伏击，不是韭菜那种暴虐直击的烈香。

我喜欢吃的还有荠菜，清甜适口，“谁谓荼苦，其甘如荠”。荠菜本身身材孱弱，口感又偏干，不润泽，多是做混合双打选手中的一个，比如荠菜肉馅饺子，或馄饨，调剂一下浑浊的肉味。因其味甜，常给曲折隐晦的中国人拿来做表达的暗器，用以反衬心苦。王宝钏苦守寒窑十八年，春来在田野上干活，头插着荠菜花，弯腰挑荠菜，正逢夫君回家，这个镜头倒是蛮甜的。不过荠菜一开花就老了，口感全失，可见王宝钏的日子清苦。前两天给外婆上坟，坟地附近的荒地废墟上，看到星星点点的荠菜，因无人采摘，已经开了婉约的小白花。荠菜还可以拿来煮鸡蛋，说是避邪明目。其实我想这些食野菜的风俗，撇除它故弄玄虚的语言外壳，其内核是有药理基础的，野菜多味苦，性凉，清火，春来天地复暖，日头燥热，内火重，野菜可以去火嘛。

有次去阿坝，天荒地寒，伙食清苦，晚来无事可做，步行出门打牙祭，烤羊肉肉质可疑，牦牛干刚硬如石，倒是觅得一盘蕨菜炒牛肉，牛肉滑嫩，蕨菜有异香，颇难忘。馆子里吃的蕨菜，通常是腊肉炒的，这道菜，前期准备工作是重头戏，一定要择其嫩枝才行，不然粗硬难吃。这也是自古常食蔬鲜，“陟彼南山，言采其蕨”。我个人最偏爱的野菜，是菊花脑，在餐馆里暴食荤腥之后，常常点一个菊叶汤去油腻，消食。我家附近是苏果超市，与菜市场迥异，总是傍晚上鲜菜，带皮皮散步之时，顺路去采购一点菊花脑，粗叶稀，洒水也少，回来略加拣择，打个鸭蛋，用浓郁的叶香逼退鸭蛋的腥气，滴几滴现磨麻油，有岁月静好之味。

小碎花

去相熟的店家买衣服，闲聊起来，才知道自己一直嗜好的着装风格，叫作“冷运动”。几个定位的关键词是：素色，无花饰，直身线条担纲，蕾丝、花边、蝴蝶结、绒饰这些甜美的调味糖块，一概皆无。哈哈，一杯素茶过了这么多年，近日突然对碎花兴致猛涨。逛街的时候，视线总是流连于那些粉粉嫩嫩的色系、蔓蔓枝枝的花纹图样上。我对服装见识不广，印象中好像江南布衣、播、淑女屋、佛罗伦、艾格等品牌的青春系列，比较喜欢做碎花的文章。但碎花真的很挑人，踩准温婉穴位，穿出绿色田园感觉的人不多，大多数都是奔着村姑的路子去了。

在抽象层面上，比如读书看电影时，我很关注衣饰。喜欢碎花的，记得最清楚的，是武汉的麦琪。写文章的麦琪，无法在我脑海中塑出具体的样貌，但是，听闻她爱穿淑女屋，一下激活了我的同步造型力。哈哈，肯定是个五官秀巧、身材纤柔的女孩子，淑女屋那种牌子，窄胸，收腰，领袖上全是花饰，带着成长期青涩的植物气味，最适合“瘦得只剩下一缕诗魂”的单薄身材。如果是三围丰满的女孩，根本就塞不进去。

我很爱看榛生的博客，因为我对她的衣橱很有兴趣。她皮肤白，眉目清新，有一点微甜的稚气，像韩剧里的女孩子。可是，她说是穿基本款比较多。倒是靠垫、小女红啊，这些不上身的角落里，我看到好多让人心动的碎花。喜欢她家的客厅，满满的阳光，拖得很干净的原木地板，条纹棉布靠垫，钉了木扣子做眼睛的小布狗。

安妮宝贝也喜欢碎花，《八月未央》里，她写家门口的小店，女学生开的，她走进去，试一条多层次的碎花蕾丝裙。没有女孩子能挡住碎花的缠绵气息。但是她买下后，心里想：“我可能永远都不会穿上它吧。”《素年锦时》的封面，她说她很喜欢，哈哈，那是折枝花卉。这个“锦”，是不是片刻的心性温软小碎花心境呢？常日里，还是素打扮吧。

为什么爱碎花的人，文字里都会有那样的女性气息。温婉，恋物，窄窄的视野，呵手日常的体温，关于电影、书、音乐的碎碎念。小小的、局部的精灵，没有（也不想有）什么系统的、硬朗的大视角。她们很少写什么严肃的大文章，只是心里兀自开落着小小喜悲。

冬天，昼短夜长凉寒之日。每年我都会找几个老的长篇重温一下。今年的计划原是托尔斯泰。不知怎的，看着看着，我突然对老托有点不耐烦，就改看谷崎同学的《细雪》。我注意到，在四姐妹里，雪子是鹅蛋脸，长挑身材，常年穿和服，上面是花草图案，从不穿条纹西服。她的妹妹，开朗重实利的妙子，是穿洋装的。与衣饰配套，雪子的性格，也最有日本趣味。雪子正如其名，纤尘不染。筷子要用热水消毒，掉在干净桌子上的食物也不吃。却又如贞之助所说，“她的性格并不阴郁，内心反倒有璀璨的一面”。这个璀璨，就是小碎花般的女人味。把侄女当成自己孩子一样，带着睡觉，教她钢琴，一起扑萤火虫，赏樱花。

看画册，总是沉溺于连绵花朵图案。喜欢画花的，莫奈是一个，他那么爱花，干脆自己盖了个花园，在上面架了日本桥，与它朝夕相伴。天女散花般，把上千种奇花异卉撒在园地上，任其争奇斗艳，用一个画家的口味去配色、布局，那真是一场视觉的盛宴。

我还买了各式各样的花卉图谱，淡彩的、素描的，有时候，一个晚上，就在分辨七姐妹花和其他蔷薇中过去了。我羡慕那个用一辈子时间来为花朵留影的园艺师，Basilius Besler（巴西利厄斯·贝斯莱尔，画家），他有一颗那么安静舒张的心。

小时候看正大综艺，记得有一部电影叫《风雨红颜》，妈妈很辛苦地培养女儿画画，女儿却执意要做服装设计师。母女从此开始漫长时间的对峙。直到有一天，妈妈去看女儿第一场作品展。哇！模特的裙边上，全是女儿手绘的花叶。才知道，女儿一直没辜负她栽培的童子功。那是我记忆中最漂亮的裙子。

日剧和韩剧里，把小碎花穿得明丽照眼的，太多了。我常把它们当活动时装杂志看。《花与爱丽丝》里，爱丽丝穿小碎花和芭蕾舞裙，比花同学好看。可能因为她更纤巧灵秀，东方一点吧。可是，家里种了好多小草花的那个，却是花同学。爱丽丝的爱，是外向释放的，花是内向收敛的。花同学，像是一种折中路线的小碎花，就是在纯色的冷调衣服上，怯怯地，翻出一点碎花的衣领或袖口什么的。这个温柔的边角，细想之下，也是惹人爱怜的。

大白菜

大白菜是日常的卑琐之物。（这里特地唤作大白菜，有股子夯实的憨拙气）我很喜欢的魏微，写过《从南京始发》，在小说里，“我”和男友晓风一起去北方谋前程，第一站是河北S市，去拜访X教授，投石问路。教授家在某公寓楼，楼道里堆着扫帚和大白菜。“这样的物事让人阴冷”，他们被灰暗前景吓得落荒而逃。后来，他们又去北京，疲了，颓了，决定安居。“说日常用语，穿布衣布鞋，远离物质，过清贫的学者生涯。”好像在常人的意识里，大白菜是平民生活中的重要意象，与大白菜和解，就生活化了，与大白菜为敌，就是继续追求无染的精神生活。白菜似乎有某种形而下的意味。在另外一个作家的写实小说里，也有拿了博士学位的男人，他女朋友鄙夷他：“你那学位，不就是帮导师扛白菜扛出来的么。”

《渴望》里，书生王沪生，恭敬地喊刘慧芳“师傅”，宋大成就只会帮她扛白菜。北方天寒，过冬之前要储存白菜，到了冬初，便有小贩沿街叫卖，普通人家是整车地买。现在仓储业日益发达，很难有这种应季的盛景了。

大白菜自古就有，不过，一开始并不是主流植物，在《诗经》里，它的名字叫“菘”，出场频率不及“葵”。“采葵持作羹”“七月享葵及菽”的那个“葵”，可能就是木耳菜。《齐民要术》里,《种葵》也是第一篇。六朝时，它们大概是平分天下,《南齐书》里，周禹于钟山脚下隐舍，清贫寡欲，终日蔬食，有人问他:“山中何所食？”对曰:“绿葵紫蓼。”又问:“何味最胜？”对曰“春初早韭，秋末晚菘。”元代之后,“葵”才渐渐被“菘”取代。到李时珍的《本草纲目》里,“葵”已经彻底沦为“草”类了。

后来居上的大白菜，普及度甚高。时时可以在菜场里看见它们的芳踪。白露为霜的清晨，菜农把它们从地里起出，霜打过的白菜，有回味的甘甜。我们这里吃的多是山东大白菜，唤作“黄芽白”的。李渔所谓“菜中第一品，食之可忘肉味”的黄芽菜，应该也是指它。烧制方法也很简单，白菜心嘛，用上好的酱油、糖，略拌一下就很清鲜。还有，前两天在大非家，嫂子自制的泡菜也很爽口。甜中带辣，又有股子脆劲，嚼之有声，像个眉目楚楚的麻利小主妇。细长品种的奶白菜，我喜欢把它微微翻炒以后，和平菇烩一下，取它们的口感鲜嫩。尺寸大点的白菜，切了叶子醋熘，好吃。不过，最喜欢的还是让它和荤食混煮，比如做狮子头的时候，把它的叶子垫在下面，一是借点荤油，菜易烂熟；二是荤素互补，素的可以清味悠长，荤的可以解其浊气。自己比较偏爱的，居然是最平易的白菜炒肉丝，油多，火爆，起锅时加点糖。过去苏帮菜里有“白菜丝肉糊”，这是道家常菜，却很讲究火候，要专门的有经验的老师傅，在炉子旁守上一夜，方成。常有上海人，坐了早班火车来吃，吃完了，再装一饭盒带给家人尝鲜。

大白菜是难登大雅之堂的。《红楼梦》里，出现过一次大白菜，就是第八十七回，宝钗写信给黛玉，提起当年海棠结社、持螯对菊的事情。又史湘云来，大家絮絮谈了些南边的事，这时，应景出现了“南方菜”——火肉白菜汤。就是这道汤，被历代红学专家嗤之以鼻，白菜这样“格”低的菜，和黛玉不般配。加紫菜就更是不伦不类，更别说还搭着后来端上的江米粥，可见写续书的高鹗，作为一个满人，多么不通南方的饮食谱。

能把大白菜都形而上的，是沈三白那牛人。“黄芽菜心，其白如玉，取大小五七枝，用沙土植长方盆内。以炭代石，黑白分明，颇有意思。”看明白了？是做盆景用的，三白自称自幼便目力出众，有望日神功，微小之物，能放大无穷。他的生活态度类于此，即整体浑噩，细节寻乐。能处理好大白菜和日常生活关系的人，是齐白石，他说：“牡丹为花之先，荔枝为果之先，独不论白菜为菜之王，何也？”他爱吃，也嗜画白菜，寥寥几笔，尽得其神，清刚不失妩媚。齐白石曾经想把他的一幅白菜，以物易物，去和在他家门口歇脚的菜农，换一车白菜。结果人家扭身而去，偏不配合他成全这段画坛佳话。他超现实的艺术家做派，也就止于此了，在生活里，齐是个吝啬之人，画作的润格都是明码标价，多画一枝花，多染一点胭脂色，都要加钱的。齐白石画一枚柿子、一颗白菜，叫《一世清白》；画一堆柿子，几颗白菜，叫《事事清白》；画两颗白菜，估计要叫《清清白白》。当然，价格也各有不同。他可是锱铢必较，绝不含糊的。家里食品橱的钥匙，他都把它挂在腰里，每顿饭之前，躬身量米下锅，唯恐浪费。务实心加艺术家的心性，双核的内心，不用说马力就强大得多。

山里的声音

小长假结束，观光人流退潮之后，我才跑到山里的栈道走走。平时散步都戴耳机，但在山里时，一定会拿掉。大自然有如日常生活，富有天然治愈力及精神养分，但需要你打开官能和心门。

今天，我痛饮了“声音”。

较之于暗喻“诗与远方”的铁轨（文艺青年最爱的拍照道具），我觉得，栈道更接近我心中的文艺生活。身为资深文艺青年，浪漫，在我心中，不是添油加醋的戏剧化峰值，而是倒退一步，加强味蕾敏感度，在平淡的生活中，感受丰富的五味。

栈道，是一条上山的山道，右边是公车往来的公路，左边是山林。它结庐于人境，能闻车马喧，也能听到竹扫把扫落叶的粗嘎声、非常轻微的流水声，偶尔，有风吹落带着刺壳的青冈子。它既是远方也是当下，既是诗也是生活。

山里的风声，也和湖边不一样，主要是演绎风的植物不同，湖边是俗称“眼睛树”的荷兰杨，它的树身上，长着条状的树疤，白杨始终是带苦味的树，古代种植在墓地上。白杨即青杨也，其树皮白如梧桐，叶似冬青，微风击之辄淅沥有声，故古诗云，白杨多悲风，萧萧愁杀人。风吹过杨树，很凄厉。而山里的树杂，被密叶筛过，风声就软了很多。

常去山里看树，我喜欢树，是因为它们没有抵达某处的焦虑，它所在之处即是归宿，只要努力枝繁叶茂，让与生俱来的模式发挥到最大值即可。树遵照生命的意志成长，不讨好也不驳斥。它既不是谁的教学作品，也不会活成某个反抗形态。它不是一组关系的结果，它只专注做自己，树自有其完整性，根系在尘世之泥，又伸展向高远之处，不欢呼太阳，也不咒骂暴雨——有些人过度追求纯粹，无论是人、事还是生活，总想“去芜存菁”，殊不知，“芜”恰恰是“精”的容器，一旦去掉“芜”，“精”也无法保存，必须在全部的广度上去经历生活，才能品尝它最甘美的部分。能承应一个人最坏的部分，才能享受他最好的那块。

顺着栈道往前走，也有稀落的人语：几个退休的老太太，穿着轻便，谈孙子和理财，看得出是常来，连扫地大叔都对她们说节假日代班多了多少钱。

待你走到无人处，静下心，又能听到各种鸟叫——长年住在山下，我不拉开窗帘，就能“听”出今天的天气……鸟在晴日、雨后、雨中的叫声，都不一样，晴天的鸟叫是清亮雀跃的，小雨中的鸟叫，是藏在树叶里的闷声。皮自小养鸟，总说鸟有情绪，后来看动物学家劳伦兹的书，才知道鸟类尤其是大雁是感情丰富的，动物和人的差异，主要是在大脑前庭，也就是体现在智力上。三岁小儿，亦是吾师。

又有低低的蝉鸣，夏天早晨的蝉鸣是高亢拉长的，每天起床都像是头上有锅滚水，而现在，是寒蝉凄切。

近年来看了很多茶书，在茶道中，非常关注“声音”的出场：烧水时，茶壶内的贴片会随着水滚的程度，发出从轻吟到激越的“松风”，热天会打开“蹲踞”放水，利用水流声产生清凉感，倒茶时，有些动作的设计，就是为了水声好听，有个茶席的名字，叫“雨听”——你有没有认真听过雨声？四季的雨声，是不同的，春雷轰轰，雨声爽利；雷雨暴烈如鞭，而当时的植物正在蓬勃生长的夏季，会像打球一样把雨弹回去，发出有力的弹响；到了秋天花叶渐渐萎落，承接雨滴的声音，也会变化。

看博友提到小泉今日子的话：“虽然做着唱歌的工作，但在家基本上不听音乐，尤其是语言不通的外国音乐，旋律吵闹的则更觉得恐怖。但声音却是必要的。喜欢生活的声音：清洗食具的声音、洗衣机转动的声音、远处车辆经过的声音、在案板上切菜的声音、午睡中依稀听到电视里综艺节目的笑声、风吹的声音，还有雨声。”

至于我自己，我最喜欢躺在床上，听我妈做家务，那是非常愉快的对耳朵的按摩——家务高手操刀落刀、洗涮除尘，都充满了熟练的节奏感，自成音阶。而低能如我，做家务的声音是杂乱无序的，让人心躁。不相识的人制造的声音，也有情感成分，到了冬天会有炸炒米的人，我家楼下这个特别体贴，脖子上挂了个哨子，总是在可怕的轰响之前，先吹声哨子预警下，那是陌生人在冬日空气中传来的小温暖。

日常生活和大自然，是最伟大的乐师。

而这些细节处的敏感度，一定要在静心时，才能体会。关掉电子产品，离开网络，打开官能，与花草树木雨雪风霜相接，忘记工作的压力和杂事带来的焦虑，沉入自我深处，安住身心于当下。自由之道，即在此刻。

夏之味

梭罗说:“冬日更适合思考和理性,而夏天,就可以过着感官的生活。”他身处北美的新英格兰,夏季也没有暴热,潮湿性大陆短夏,他的夏天可以换算成我们的初夏,地气尚凉,微微的暑热,恰好蒸腾出花草的体味。

我早晚散步的路线并不一样。吃过晚饭,一般去西瓜圃桥,那条街一路都有苦楝树,草桥水湄处,有株倒伏的,小紫花落了一地。这种树一旦飘香,就从嗅觉上立夏了,而且树的香气又不同于花,到底是木本,阵势足。苦楝树在黄昏时气场最强,读了一天的比尔·波特隐士书,在这条路的树荫下回味一番,真是“与君共晨夕,足以解世味”。上次和N带皮去郊游,正逢初秋苦楝结子,皮把它用树叶盛了进奉给N。苦楝的树子长得也很可爱。

而金银花是晨曦之味，早晨去买菜时，会在楼下人家的花下流连，初觉是淡淡的药草味，后来采了一朵，仔细地闻，其实金银花的清新并不孱弱，而是清刚，有点像探春。花茶里的金银花很苦，无味。此花有点性冷感，不喜欢烈日灼身，晌午就蔫了。

六神的气味营造是很出色的，说是他家冰莲花花露水直追莲娜丽姿，这个我不认同，但是它的肥皂系列，倒是喜欢。金盏菊的温婉女人味，艾草的清扬，夏天最爱做的事就是手洗衣服，洗完了好狠狠地闻那些余味。张爱玲说姑姑不让她帮忙洗衣服，唯恐她贪恋汽油味故意放慢手脚。真是天下女子同心。

去年在福建，整晚像迷狂发作一样，在厦大的英语角和化学系之间，徘徊不去。非我好学，而是被某种植物的气息迷住了，那气味非要附于语言，嗯，像刚洗完澡的女生，湿漉漉的发梢。中大也有那种树，但在广东正逢雨季，低温时，这树似乎发挥不佳。新碧有款防晒露很像那个味，我出于怀旧，用了一个夏天。只要气味环绕，一闭上眼睛，就是南方，后来朋友说那应该是柠檬桉。

再到梅雨季，就有栀子了，它的香气要借风，我住在山边，睡觉时开扇窗，可以看见树梢浸在凉凉的月色里，像被漂洗的衣角一样。风起时，栀子花香简静，正好乘风而来，香势强劲到差不多可以流袭枕簟。还是用《花镜》里那句话吧，“色白而香烈”。每一朵栀子开到疲沓的花末，头上还会顶着一团微小的寒香，把它夹到书里，会香透纸背。日子久了，连字迹都被浸染成沉着的秋香色。一川烟雨，满城风絮，梅子黄时雨。陈年栀子的余香，就是那样清馨。同期的还有白玉兰，寒香系的，雨后气味最佳。我始终喜欢木本胜于草本。盛大，裹挟，若有若无。

夏天还能买到姜花，港台小说里多见这花，它也是亦舒的常备抒情道具。温瑞安《谈亭会》里，周白宇邂逅小霍，就是在生满了野姜花的河边。姜花是长在水滨的花，这一类的花都是湿漉漉的寒香，素面艳骨，又比如木莲、夜来香、昙花、茉莉，也全是白花，越夜越香。冰心小说里的人物，簪了茉莉，她的朋友就循着这个香味，在夜色里找她，哈，一向讨厌“五四”风的文字，旧文人的趣味放在一个崩坏的底子上，闲情得让人难堪。从朴素的生物学原理而言，白花因着无色，必须以香味吸引虫子，海涅说过：“女人的道德，好比白色香花的香味，吸引着绅士。”这个，我非常怀疑。

蚊香的烟气我也喜欢，少时暑假，白布蚊帐一挂，微风吊扇轻旋，整夜的卡朋特，那个味道意味着放假和纪律生活之外的自由，一闻着就高兴。还有在小超市里可以买到的一款驱蚊水——夏之露。它的主要成分叫紫草，只要八块钱，但是像香水一样有前调、中调和尾香，最后会在体温的晕染下氤氲成一种淡淡的檀香，那香气像上了年纪的人的回忆，很惆怅。

树

很希望自己是一棵树，守静，向阳，安然，敏感的神经末梢，触着流云和微风，窃窃地欢喜。脚下踩着最卑贱的泥，很踏实。还有，每一天都在隐秘成长。想做树的人比比皆是：陈丹燕说她来世想做托斯卡纳的一棵树，长在全欧洲最醇美的阳光下，一个向阳的山坡上。她倒是蛮会选地方的，当德国的天空开始阴霾密布，俄罗斯已经初雪飘扬的时候，意大利还是秋意盎然的。席慕蓉也想做一棵树，那是为了对抗时间，可是树也是会衰老的啊，黄山那棵不老松都死翘翘了，只好做了棵假树以慰游客。

有人以情趣取树。周作人最喜欢杨树，杨树叶大承风，被风轻拂时会淅沥作响，“白杨多悲风，萧萧愁杀人”，因此很多人厌弃它，比如《红楼梦》里的麝月。可是周作人喜欢它，也是因为同样的原因。有客夜来，杨树叶时作细碎声响，疑是雨下，推门出户，别有情趣。我想这还是和心境有关的，焦灼的人比较怕碎声，更添烦乱吧。他兄弟鲁迅偏爱槐树，槐树是鲁迅小说中高频出现的叙事道具，他笔下的主人公，从酒楼中、病床上，目光炯炯地，或耿耿地，看着槐树的叶隙，反刍一些细碎的悲欢。槐树枝叶繁复，还是很能负荷注意力的。如果没有槐树，大概鲁迅小说的意境要大打折扣。这次去北京，逛了不少老胡同，青瓦青砖，槐影蔽日，胡同悠长，在哪棵槐树下，鲁迅赏过碑帖，写过文呢？

有的人，爱把树附会成某种精神图腾。丰子恺爱柳树，因为所有的树都朝天而生，只有柳叶是下垂的。他喜其“谦卑不忘本”。再说他又是画家，柳树色彩明艳，姿态婀娜，很入画。列宾爱花楸树应该是同理。有的树，浸润了回忆的香气。汪曾祺最恋恋的，应该是小花园里，那棵龙爪槐吧。这棵树是他童年的乐土。常常抓了个鸭肫干就爬上树读小说、看野史，这棵槐树长得姿态流丽，遒曲适度，正好契合他的身体大小。树植在小山坡上，有海拔优势。汪借它可以偷窥毗邻的尼姑庵，看秃头小尼姑打水、念经、做日课什么的。那篇《受戒》是不是在“树上的岁月”里，就开始孕育了呢？

梁实秋写到过梨树，那是植在他家老宅子里的，花开时一片富丽，可是抗战结束被砍掉了，大乱之后，人心惶惶，风声鹤唳，战战兢兢。“梨”同“离”，大家一听就怕。可见做树也不是很安全的事，尤其是顶着个不祥的名号。但是也有很勇敢的树，大江健三郎最喜欢在小说里设置的意象，就是树，树对他而言，是承重的力量，是承上启下的生命，是无畏的热情，他老婆就叫“由加利”，由加利（又叫“尤加利”）是一种热带树，不值钱，也不名贵，但是抗震，常用作枕木。看大江写他们夫妻抚养弱智儿子的书，就觉得这对夫妻真有点枕木的韧性。

比较青春期的树，是樱花。四月的樱花，颜色像初雪。樱花是岩井俊二电影中常用的抒情道具——正如我们所知，这是一种开起来不留余地的花，生得热烈，死得壮烈，在日语里，樱花的寓意就是“殉青春”。而岩井俊二呢，正是个有着“青春期乡愁”、执迷于成长题材的导演。生来老相的是榕树，树皮疙瘩溜秋，枝叶上垂髯缕缕，生长期长，成材缓慢，是很有韬晦的树。“榕树下”是个网站的名字，据说在他们的办公室里，真的有一棵假树。哈哈，努力壮大，事业长青，这个布景是很积极的隐喻和暗示。

很深情的树是交让，日本民歌里唱“在树叶都变红的时候，我才会忘记你”，这种树是长绿小乔木，也就是长情，不变心，可是私心里，好像还是偏爱会变色的树，比如银杏和枫树。秋来之际，斑斓的层林尽染。没办法，这个世界上的人，都是爱坏蛋甚于爱闷蛋。比较敏感脆弱的树，玉兰，开的时候固然明丽宜人，经雨则狼藉满地，不堪收拾。心境灰颓时看它尤为丧气。张爱玲说：“没见过那么邋遢的花。”坚强的树，是松柏吧。别说是经雨，就是经霜经雪经雷击，它们永远是青翠挺拔傲然的样子。可是我真讨厌它们那副喜怒不形于色的泰然，神经迟钝的树。

树可以是你的妻子，比如林逋的“梅妻鹤子”；树也可以是你的孩子，夏多布里昂，一生酷爱植树，他悉心地照料它们，除虫，施肥，修剪枝叶，他给每棵树都起了名字和昵称，把它们当作自己的血脉支流，“死在它们身边，我就瞑目了”；树还可以是朋友，《芒果街上的小屋》里那个女孩，最好的朋友，就是窗外的四棵瘦树，她每晚都对它们喃喃述说心事，树明白她的寂寞，我也明白。拉丁移民区属于贫民地带，所以种的树都是市政淘汰下来的劣质品种，那本书的很多旮旯里，其实都是“处处潜辛酸”的。这个小女孩想：我要向这棵树学习，虽然低贱，也要拼命地默默长大，自救救人。这是一棵希望之树。

林怀民很像一棵活得很认真的树，他的舞蹈里，有的是不竭的细节。如果把一场演出比作是一棵参天大树的话，他通常让我们看到的，却是枝枝叶叶细碎的摇曳。满天的枝叶正是乐趣所在，日常生活的一点一滴，都是智慧的结晶。一段家常的对话，一片云，一个匆匆的背影，一首歌，蕴藏着某截时间里最珍贵的记忆，穿起来便成一生。

歌手莱胡德夫是一棵动静随心的树，他常常从工作中失踪一小会儿，原因据说是去看树了。他说看树才是他的正职，唱歌反而在其次。他有树的定力、静气，执着于自我的生长节奏，哈哈，所以才能保证干爽的个人风格不被渗透吧。淡淡地处世，浓浓的个性。蔡明亮同学，则是一棵舒展自如的树。他说："就当自己是一棵树好了，反正也不会有什么激进的发展，就是每天长点枝叶什么的，我当然会一直把电影拍下去。很多年后，你会看到我还在这里，做类似的事情。"一棵独乐乐的树，活在自来的幸福里，也不去功利性地苛求什么，静静地打磨时光，在细节里看清生命的肌理，等着时间告诉我们最后的答案，这是我想在心里种的欢喜树。

香事

有的香直白肉感，比如赵合德所浴之豆蔻汤。香氛氤氲中，莹白细嫩的肉体更显魅惑。循香蹑足而至的汉成帝，这才能得窥伺快感。有的香更重精神意味，比如屈原自比香草，孔子袖怀蘅芜，曹操身佩泽兰，这都是一种植物语系，行为艺术，意即自己行止清洁，不染俗念。

有的香热辣燃情，比如潘金莲所含之香饼，嚼如烂茸再喂给西门庆，你吞我吐，助燃欲火。再看孟玉楼就低调含蓄得多，止于“行时香风细细”，大约是隔着衣服系个香囊，若有若无的一线香而已。

有的香寒意逼人，比如薛宝钗所服之冷香丸，一个人，心里活得跟明镜似的纤毫不爽，表面还得做出处处不计较的混沌样子，尝着甜，心却冷。有的香清苦自赏，比如林黛玉染了襟袖的药香，此人心中枝节丛生，叶叶心心又都关情，只能把自己熬成一锅甘苦自知的药汤了，还好有个勇于尝苦的宝哥哥。有的香小心行事，落脚日常，比如袭人给宝玉手笼里添的香。有的香立意出尘，欲洁却不达，比如妙玉用自梅花上扫来的积雪泡茶，连冷月花魂的黛玉都尝不出，如此的理念洁癖，必然肇祸，难怪她最后不得善终。

有的香小鸟依人，比如董小宛给冒襄制的香馔蜜饯，浸海棠、木樨于香油中，经年取出，每每冒会客，进餐完毕，小宛便端出自制香馔应客。有的香大方磊落，比如探春房间里，一概玩器皆无，闺阁的熏香设备不屑为之，只是单单供了几个佛手，借一点植物的清芬寒香而已。如此行事的还有慈禧太后她老人家，后厅里常常供着几缸香橼佛手，半个月后就赏给宫女们吃掉。撇却历史功过不谈，她确实也是个不让须眉的女人啊。

有的香是恩爱连理，比如芸娘为三白制的花茶，放在荷心里，泡起来花香满中庭。有的香苦情泛滥，比如“红颜未老恩先断，斜倚熏笼坐到明”。有的香此心可昭日月，比如屈原一边歌咏，一边献给那啥女神的香草。有的香鬼影憧憧，比如马尔克斯笔下的死人，常常附了茉莉花现身，花香所至，便是亡灵的脚步，哎呀，我的妈，深夜里打这些字我都发毛。

有的香惜时如金，比如朱天文笔下的昙花，“多年后，每有暑夜忽闻见飘移的清香，若断若续苦撩弦，我必定寻声而至，果然是谁家外面那盆攀墙的昙花盛开了”。有的香长如永夜，古时有所谓计时的香篆，类似于现在蚊香的形制，烧完一盘大约就是一昼夜的样子。情渴的白日，缠绵的长夜，连日夜都是流香的，最后变成时间的灰:香尘。

有的香显山露水，比如唐代流行的“香山子”，整块香料雕琢成山形，描金饰玉，置于华堂，作为生香的摆设。有的香暗度陈仓，法国旧时贵族妇女出行，都先在肛门处置香屁丸，则即使排气烘烘，也能立刻化恶臭为兰香，不至于形象受损。

有的香絮絮不已，时时发威，颇有侵略性。比如宋代贵妇拴在手腕上的香丸，“车行过，香烟不断，香尘数里不绝”。有的香沉默无语，董小宛常与冒襄彻夜静坐香阁，把玩名香，一香凝然，而相对无言。话又说回来，虽说“尽在不言中”的境界很美妙，但我还是不喜欢《影梅庵忆语》，手泽味道太重，把玩的手势太显了，赏玩之物反倒淡出了。他不停地在那里说“姬什么什么”，但是最后都事关他自己，而她好像只是个重量级的粉丝，及被他回忆压扁的抒情道具。

薄荷

喜欢薄荷的气味，线形的、凛冽的寒香。让人想起：刷过牙的吻，雨后的玉兰树，还有四川的那些雪山下的海子。买薄荷糖都买最强口味，号称冰点的那个系列。入口时，辛辣不能言语的感觉，很爽。还有吃糖以后，不能呼吸，吸一口气都会囟门疼痛的感觉，也很爽。我总是随身带一个小铁盒子，里面装着薄荷糖。在茶社的时候喜欢点薄荷茶，另外再要一杯冰块，喝到一半时丢进去，绿意盎然，好像杯底匍匐着一个热带雨林。很奇怪，自己在家里，用药店里买来的薄荷，就只能冲出褐色的、滋味暧昧的玩意，像是走到半路的中药，然后才想起它确实也是一味解热祛湿的药材。

小说里写到薄荷的很少，没有咖啡、茶、红酒和柠檬水的出场频率高，除非是东南亚或香港小说。亦舒笔下有个蛮让我难忘的场景，是男女主角离婚后，在山顶喝薄荷茶，刚下过雨的紫藤花架下面，惆怅旧情如梦。喝透心凉的薄荷，蛮应景哈。甜是一种清浅的味道，薄荷可以使之层次丰富，结婚时发的喜糖，就是徐福记的薄荷巧克力。蜜里调油多乏味，又甜又辣，不是更有甜趣么。

喜欢薄荷的还有一个车前子，小时候他家天井里种过猫薄荷，他喜欢拿玻璃杯冲薄荷茶，然后细观茶色。推算了下，老车同志年幼时，该是“文革”时期，所以用的玻璃杯是印着炼钢工人的。在文章里他写过：“工人师傅的脸都给印绿了！”我觉得他一定是心性调皮，特别留恋细节的小孩，呵呵。汪曾祺也言及薄荷，是在越南吃鱼片，那边人常常是伴点薄荷就生食，吃一口鱼，含一片薄荷去前味，然后再用清净的舌尖去品下一口，这个薄荷好像逗号的用法一样。

小熊宝宝出过一个系列的香水，好像有柠檬和柑橘，但是一直没有等到薄荷的。不过，香水里加薄荷的很多，涂在皮肤表面，会有阴凉的感觉。这个夏天，因为雨水多、湿气重的缘故，螨虫横行，全身都得了过敏性皮炎，累累的红疙瘩，视之可怖。唯一可喜的是，药膏也是加了好多薄荷的，抹在身上有凉意。我妈又贴了伤湿止痛膏，现在，家里空气里都是薄荷的森然味道，像是一个中药房似的。薄荷味的作家是库切、奈保尔和毛姆。精确的辛辣，低温，一口毙命的快感。鲁迅是薄荷药膏，张爱玲是薄荷茶，亦舒是薄荷香水。

冬日读书

不晓得别人怎么处理冬天夜读的问题，我专指长江中下游地区。夏溽暑，冬酷寒，还没有室内暖气。看看朋友们，也是十八般武艺上阵。脚踏暖脚宝，身披婴儿毯，怀揣热水袋。去年，在网上看中了麦考林的小炕桌。哦，实物为一短腿木桌，可以放在被子上，摊电脑和书本于其上，还附有水杯座和小杂物抽屉。彼时我正好身怀六甲，大肚磐然，根本塞不进去，计划就搁浅了。今年再去订购，只有塑料制品。本来线条就冷硬，再加上塑料的清寒，望之就不可亲。超市也有类似款型，无奈木工粗劣，吾所不取。

夜看古人书，突发奇想，在没有空调和电暖器的古代，读书人是怎么办的呢？唐宋之前，卧具尚未盛行，印刷术也未普及，书是一卷一卷的，读书都是凭几翻阅。在《古诗文名物新证》里，发现一款卧读书架，形制类似于麦考林小桌。但不是放在被子上方，而是在一侧，就是一个T字形的木架。上端可以把卷牖的两端打开，固定，看完一卷，再换下一卷，免双手展卷之累，妙极。不过，从“席”上，引颈扭头读书，长时间保持这个姿势，也会脊椎僵硬吧。在西洋人的画作里，见过它的远亲——阅读架，用来摊放一本精装书。有次看《上海的风花雪月》，颜文梁的家里，就有这么一个，不过久不使用，已经蒙尘。

突然想起前两天看的陶渊明，他是江西人，历代画家都喜欢美化他的读书场景。光是《归去来兮图》就不止一幅。把陶同学画得仙风道骨，神气俱清。倚养和，焚沉香，左稚子，右娇妻。养和是一种靠具，依松枝的天然纹理而截成，极具野趣。然而这只是图像学意义上的闲趣，画家喜欢这么处理隐士而已。倪瓒那幅画配置雷同，倪的乖戾气是众所周知的，传闻他命童仆挑水，只取前担，说后担有异味。童仆想了半天，“哦，回来的路上，我放了个屁！”第二天又说前担是臭的，童仆说：“今天没放啊，想起来了，小的有口臭！”遂命其每天戴口罩运水。我一想到这个人像驴子样戴嚼子干活儿，就笑得半死，比这个老家伙让仆人天天扫落叶，使书房外片叶皆无，那种阴森的洁癖，好玩多了。倪有钱也罢了，就说陶同学。看陶的饮酒诗，就知道，此人穷得敝庐漏风，衣不蔽体，“饥寒饱所更……披褐守长夜”，怕是冻得不成眠，才起来赋诗的。

宋人的“暖阁”，为我怀想不置，是在室内，用木格糊纸，隔离出一个小房间，到夏天可以自行拆去，所谓冬设夏除，很机动灵活。暖阁内置炭火，炭是精制过的煤，燃烧率高，烟火气少。狭小的空间里如此取暖，节能又高效。有一种暖阁，看得我快流口水，是竹子编制，束筠为篱。大概七尺见方，宋尺约三十厘米，也就四五平方米大小吧，留一个小柴扉般的入口，里面架书橱若干，有榻，有几，有沉香。宋人喜欢私密的空间，又或许我有洞穴幽闭症？反正，我特别亲近这种狭小密闭的自处。“独坐闲无事，烧香赋小诗。”“衰眸顿清澈，不畏字如蚁。”这是陆游的诗。晚年他于官场疲惫，因此归隐田园，回到绍兴老家，就常在一个仅能容膝的小暖阁里，无事此静坐，书中日月长。为什么宋总让我觉得是个老龄的年代？宋诗，比起唐诗的勃发，也显得克制、沉静、老气相。也许正因为如此，我才亲宋吧。

明清之后，好像开始注意外景配置。文震亨那本《长物志》里，连书房外种的花啊草啊，都规定好了，要什么格高的，真是腐儒得要死。瑞香就不行，因为香味酷烈，没品。桃花肯定也不行，格低，有风尘气息。什么最合适我忘记了，大概是梅兰竹菊之类吧。真正有条件实践他的风雅标准的，都是世家。比如张岱的梅花书屋，这个我原来写过。记得是花开成海，牡丹和海棠？木本的，开起来自然架势不弱。花影扶疏，映得绿纱橱里人面皆绿。记得最清楚的是，这个书房是配卧榻的，可以午休。对面还有假山，神倦时可歇目。呵呵，这哪儿是贫士所能消费得起的。“梧叶落，蜡梅开，暖日晒窗，红炉毾㲪。”哦，可见还是用炉火。他也是绍兴人。

西门庆同学的书房很牛啊。光交椅就有六把，还有拔步床，一点安然自守的静谧气息都没有。梭罗同学怎么说的，椅子两把就嫌多了。算了，本来人家也不是读书人嘛。架子床，其实也是一个不错的蜗居地。人生百年，所历之时，昼居其半，夜居其半，日间所处之地，或堂或庑，或舟或车，总无一定之在，而夜间所处，则止有一床。这种生活热度，一看就是李渔。他的架子床，是供梅花，置小几，美妾环绕，红袖添香的。民国小说里也有这种床，苏青和张爱玲都写过。苏写她怎么会坏牙齿呢，因为祖母老给她吃糖。就是在这种老式架子床上，一老一少，抢零嘴吃。在苏的喧闹世情里，这是很温馨的场面，我一直记得。张爱玲写《金锁记》，那个瘫痪在床的丈夫，濒死的肉身，把周围所有的活人气，都扑灭了。他吃喝拉撒都不离那张床。那床本是极惨烈的献祭之地，可是我一看就心向往之。要是冬天窝在这种床上，帷帐一拉，零食、杂书、笔记本一摊开，自成小天地，爽死！

萤火虫

日本人总是沉溺于没有喜感的事物。他们有成筐的悲情道具：樱花、瀑布、春雪。现在，我又发现了萤火虫。

读《细雪》，情节框架破旧得很，就是没落关西世家，四个姐妹的嫁娶离合。若干年前，看得我昏昏不已。我去！小说还能这么写。现在得说，小说就得这么写。为一场相亲写上几十张纸，再为一次水灾絮叨个几十页，八婆得要死，原来一场人工婚姻，其程序复杂过大国和谈。雪子一到月经期就会有激素性色斑，相亲得小心翼翼避开那几天，还要涂厚厚的蜜粉，一不小心忘了加胭脂，就被对方疑心是有肺病，得拍张X光片子以示清白，比猪肉出口检验程序还严格。

看到姐妹扑萤火虫那段，想哭了。我得说，我绝非一个滥情的人，哭点没那么低。想哭是因为，突然明白谷崎的绝望。用一本不合时宜的书，反抗战争对美、对个人生活、对日本趣味的野蛮倾轧。《细雪》写于一九四二年，侵华战争的第五年。火光与枪炮的隆隆声中，右翼分子声嘶力竭的呼战口号中，他孤绝地写着他心中的原味日本。春天的赏樱，夏天的扑萤，冬天的淡淡日光，梅雨季的脚气病。我一下子原谅了他絮絮叨叨的超长日剧般节奏。因为，他要用一张细密织就的日常之帘，徒劳地挡住战争的强光。

萤火虫那段只有几张纸。姐姐陪妹妹相亲，姐姐知道对方并不看重自己的妹妹，心中郁郁，但什么都没提及。相亲的前夜，姐妹们穿了夏布和服去捉萤火虫：拿了笤帚般的捉萤棒，在漆黑的河岸边，没脚的深草丛里，走过去，互相都看不见，只能高高低低地娇声应和着。萤火明明灭灭，不离左右，亲情也是。夜深了，妹妹轻轻的鼾声中，姐姐回味着刚才的场景。“与其说是图画般的，莫若说是音乐般的快乐。”其实整部《细雪》都是，没有什么刺激味道的情节，就是一种音乐般的酣畅生活流，起起伏伏，中间点缀着一闪而过的情绪亮点。

这个触媒，突然引发了我记忆中的意象连环爆炸。日本人好像很偏爱萤火虫，浮世绘里常常有这样的场景：穿了华美和服、梳了岛田髻的女人，身后跟着摩登丫鬟，在那里扑萤火虫。歌舞伎里，也有这个“轻罗小扇扑流萤”的动作。高畑勋有一部电影就叫《再见萤火虫》，也是战争的慌乱中，主人公和他的妹妹却在草丛中捉萤火虫，去海边玩耍，饿了，就吃晒干的青蛙，累了，就挤在山洞睡觉。虽然父母双亡，虽然亲戚抛弃他们，但有萤火虫陪伴的日子，闪烁着光斑状快乐。

安房直子写过一部小说，名字我不记得了。贫寒之家，要把妹妹送人，哥哥去站台相送。妹妹的火车开走了，那张脏脏的小脸再也看不见了，哥哥还不肯回家。在阴冷站台上反复踱步，突然他看见一个小女孩，很像他的妹妹，她掀开一个大箱子，里面飞出好多萤火虫。他追着这些蓝色的星星，怎么也追不上……很难说这里面有什么意喻，更多的是一种华美幻灭的意境吧，像卖火柴的小女孩的烤鸭。这个镜头很有日本动画的风味。

萤火虫，微小，柔弱，以自燃发光，随呼吸蹀躞。长于草泽，却生性清洁，它是环保指针，污染严重的地方，不会有它的身影。在文艺作品里，也一样，萤火虫之光，短暂、脆弱、单向，踏在心路上，径直远去，永不回转的片刻快乐。

也有很温暖的萤火虫，那是团伊玖磨笔下的父子情。他在日本的一个小孤岛上，买房置地。没有电视，也不看电影。就是用钢笔写乐谱、作曲、弹琴。神思疲倦的时候，就去做点脑力松弛的工作，夏天他和儿子一起去捉萤火虫。儿子把捉到的虫子给他看，告诉他不同的虫子，会有大小不一的体格，爸爸听得很开心，想自己的儿子真博学啊。父子俩在夜幕下，并肩走回家，一路探讨着虫事，还有，爸爸偷吃掉儿子存起来的鱼皮，又下海去捞了，暗自补上，这些段落，真是很温馨的。同样温软质地的萤火虫，还有《武士的一分》里，武士因为替藩主试毒失明，问妻子，萤火虫的季节到了，有虫子了吗？妻子说没有，其实虫子已经三两飞舞了，她不忍心说。

最好玩的萤火虫，是泉麻人的，在《东京昆虫物语》里，他写“日本东部的萤火虫，平均四秒钟闪烁一下，西部是两秒，想想大阪人过马路的快步子，也可以理解那样急性子的虫子”。哈哈，观察入微，体物细致，又调皮。他是难得的让人轻松的日本人。也许因为他不是职业作家，观虫札记，纯粹是闲暇时段的精神下午茶，所以，才有那样的轻倩心态吧。

黑白气质

有些城市是以黑白色块，在我的记忆库中成像的，比如帕慕克笔下的伊斯坦布尔、奥兹笔下的耶路撒冷、安东尼奥尼的费拉拉、托尔斯泰的圣彼得堡、某出版社的《日常中国》之六十年代那卷。帕慕克出生于一九五二年，正好在奥斯曼帝国彻底瓦解之后，经济萧条，民心惶惶，阴影渗入孩童的记忆，他最难忘的童年印迹，就是伊斯坦布尔的“黑白之雾”。博斯普鲁斯海边的村落，刮风的雨夜，海鸥筑巢的清真寺屋顶，穿道袍的学童，冬夜的泥雪、煤烟，报纸上是屡屡不绝的凶杀案，政治阴谋、篡权、流放，贵族们纷纷逃亡，他们留下的木头房子年久失修，半朽的木头是黑色的。慢慢这个孩子开始沉溺于阴影，一回家就拉上窗帘，做白日梦。成年后写回忆录，他也在强调“观看黑白影像的城市，透过晦暗的历史观看它，帝国终结的忧伤，面对不治之症必须忍受的老式贫困，认命的态度滋养了伊斯坦布尔的内视灵魂”。

黑白自古就是中国的“孝色”，在陵墓、坟岗这种地方是常用色，它生来具有压抑、肃穆、追忆、收敛的气质。所以毫不奇怪，奥兹笔下，刚刚经历过中东战争的耶路撒冷，百废待兴的时代，也是黑白的。外汇不足，内忧烦扰，以色列在废墟上重建，地下室的入口堵着沙袋，日常用水是清晨排队恭候的，肉要凭票供应，罕见的花园是从远处运来的土壤堆建。房子都是为了抵御沙漠温差而建的，不管一开始是什么色系，最后都变成灰扑扑的，久了，也就没有了抵抗的心。“人们的唇齿间，都含着沙土，最后大家不再热爱交谈。”多少为以色列复国计划鼓舞动心而激昂归国的教授、学者，最后只能到大街上摆小摊，因为大学里的学生都没有教授人数多。一颗被老欧洲情调蛊惑、渴慕色彩、向往精致物质生活的心，比如像奥兹妈妈那样的，必然忍受不了黑白的压抑，最后只能走向灭亡。

黑白是禁欲的颜色。新妇穿红裙，寡妇只能着黑，修女都是穿黑衣带白袍，《雪山飞狐》里袁紫衣的名字，其实是暗暗契合了“缁衣”，她性冷难近，后来果然出家了。《日常中国》六十年代那卷中的实景，我常听我妈说起：绿军裤是高级时装，彩色翻领都是小资情调，只能怯怯地翻出一角，在蓝海洋里也算是夺目的小浪花了。大家普遍穿着蓝与黑的中山装，瑟瑟前行。我特能理解我妈和我婆婆的裙子情结，她们二位老人家到冬天都穿着裤袜和呢子裙，其实这就是封闭年代、被压抑过度的欲望的反弹。

和我同时代的人，应该记得教科书上何为的一篇文《第二次考试》，说是一个女孩子去应考音乐系，穿着绿上衣，像一棵挺拔的小树，大家纷纷惊艳着。彼时我年幼，很诧异，后来才想起这篇文写于一九五六年，那时一件绿衣可能是极先锋前卫的穿着了，想想张爱玲繁华褪尽，穿件蓝旗袍开会都让人瞠目呢。《爱，是不能忘记的》故事里，女孩子的一连串祸事，都是起于一件紧身手织红毛衣，它直白地勾勒出她发育中的身体线条，引发了男女之事！压抑的年代，往往人们的衣着也非常晦暗，汉代都是缁衣，清代的锦绣华服，是罩在蓝黑大袍里的。再看唐代的衣服，那个解恨啊，袒胸露肩，绣花嵌珠，简直都奔着发情去的。

《云上的日子》在费拉拉拍摄，那是一个意大利小城，石头建筑密集，布满了洛可可式的细节。自始至终，这个男人和女人都没有肉体的短兵相接，虽然他未娶，她未嫁，彼此都以抽象的忠贞酬答对方的爱。这个故事是黑白色调的，低温，精神化，没有肉欲的暖意。《辛德勒名单》中的黑白就凛冽得多，那是隆冬的杀气，唯一的生机是小女孩手中的红气球。

圣彼得堡处于高寒地带，一到秋天，十月份初雪刚落，便开始天地异色，只剩下黑白景观。云很低，水面结着蓝色的冰冻，满地的雪泥。人们不得不靠喝酒来御寒的漫长冬季开始了，那是一个作家只能蜗居奋笔疾书、懒人越睡越软、酒鬼越喝越多的季节。所以很能理解，为什么普希金、爱伦堡、柴可夫斯基都出在圣彼得堡，而那里的教堂都是浓艳逼人，色彩鲜艳得像糖果，简直是童话里才有的精美，那是彩色和黑白在斗嘴，给自己的心境一抹亮色。就像沙漠里的居民，都爱穿大花衣服，其实也是一种反抗。

亦舒笔下的男女，都爱穿黑白二色，《喜宝》里，勾搭她的家明说，“原来这个世界上真有只穿白色的女人，还穿得那么好看”（他自己只穿黑白灰），可惜这两个雅人，都是费尽心机攀上豪门的野心家。喜宝绝非俗物，从她对颜色的嗜好上就能看出，白色是何等的骄矜！又显胖，又不耐脏，非要软硬件都很出众的女人，才可以压得住，勖存坚蛮懂得投其所好，给她的金屋，也只是蓝白二色，英国式的田园风范，少即是多，暴发户才会急着堆砌显摆。亦舒最懂得格调二字了，反之,《曾经深爱过》里，被抛弃的男人出去寻欢，遇见一个妓女“你为什么爱穿黑？”“耐脏啊，客人的手再怎么摸也没事。”他自己的老婆也最爱穿黑色，可是都没有妓女的率性，连只言片语也没留下，就离家出走，永不回转了。可见黑和白，是安全的格调，也是危险的心机，是矜口的高贵，也是污秽的同谋。

秋

秋天是——风的幅度开始大了，掀起的裙角不是一点点了，逆风走的时候，风里裹着桂花香，有暖香扑面，哈哈，记忆里一个温软的折角翻转过来，这是糖炒栗子的香啊。可惜，现在的栗子好多是隔年的，用糖精水泡了，味还在，味是糖精的甜俗，可是质感松絮了，吃在嘴里木木的，让人怀疑舌头中了风。刚谈恋爱时，去看电影，栗子纸袋放在两人座位中间，手指伸进热乎乎的出炉栗子里，无意中触了对方手指，零星的温热，间杂在夹起栗子的浑圆触感里——到现在还记得。

最好的栗子在古书中，李和家的炒栗，以新荷叶裹了，系上小红索，里面掺了麝香。说的都是外包装的精致，好像并未提及栗子本身的味道，然后不经意地，沉吟一下，说个故事给你听：一个太守出外做官，有家乡人带了土产给他，他远远闻着香气，眼泪就簌簌掉下来了，“这就是李家的栗子啊”。最好的食物，都是超现实的，混着记忆的香，附着旧事的厚，古人最是这个闲笔荡得好，既经济文字，又清淡笔墨。

秋天是——我常常想象乡村的秋天。一想就想到了俄罗斯的巡回画派，花楸树、大白杨，叶隙有明丽的秋天阳光，直接经验匮乏如斯，丢脸啊丢脸。山里的早秋，我倒是住过几天，和朋友去江西，宿在山里，谷地是阴湿的，墙上的霉斑像“玛瑙染”，深深浅浅的。没有自来水，是用半剖开的竹管引了水来，早晨把找到的衣服都披上，才瑟瑟地跑出去，壮了胆子刷牙。漱口水是山泉呀，凉得直打哆嗦。半夜听到零星的鸡叫，好半天才反应过来，呀，这就是“鸡鸣起三更”嘛。山里的秋夜真静啊，有时“啪”的一声，我就疑心是不是树上的鸟睡着了，从栖身的地方掉下来了，先篡改一句诗来写意一下哈：“深山有鸟落，幽人还未眠”，然后又觉得自己很傻，乐呵了下。

秋天是——古代的秋天是这样的：太史把梧桐树栽在殿下，到了立秋时，大喝一声“秋来”，众生肃穆，就这么着，礼成了。其间或许还飘飞一两片梧桐叶，就更添意趣了。城里乡间，妇女各个争买楸树叶，剪了花样，贴在鬓角，娱人娱己——古代的娱乐项目大概不多，家常日子里总要人造点热闹，掀起点峰值情绪，哈哈，就好像冬至时皇帝“授衣”给百官一样，虽不过是几件棉袍子，应景应时序的物什罢了，其中却漾着暖红色的人情味。

秋天是——报秋的还有应时果子呀，嘿嘿，水红菱鲜妍水灵，开水汆一下就得出锅，不然就真“水”了，像是二八少女，轻侮不得。不长棱角的是和尚菱，它圆头圆脑，是个穿僧衣的小沙弥，就像出家人一样圆润温敦，与人为善，触感融合，可是和尚菱的口味却不近人，如木屑，寡淡有经书味，嗯，不喜欢。我最喜欢吃石榴，喜欢那种酸甜临界的味道，好比“榴花照眼”，石榴的味道也很明艳。喜欢吃沙梨，它的汁甜清润，像秋水，这比喻真蠢，还有个更蠢的，西瓜的润，就像是春水汤汤，很漫漶。

秋天是——怨诗的季节。古人有用桐叶传书，书生在绣楼下走过，飘出桐叶——都题了诗了，承了水墨气，应该不会是锵然一叶落了吧？我是个无趣的人，专在这些无谓的细节上较真——话说书生检视了叶子，上有艳诗一首，不然就是怨诗吧，左不过是这些，和红叶传诗一个套路的故事，有宫女题诗红叶，然后顺御沟的水流出宫外——结局都是千篇一律，写诗和读诗的人最后结合了，简直是个超现实超逻辑的爱情奇迹——红叶的效果肯定比桐叶好，桐叶本身的气质阳刚不说，就说它叶面那么大，写的诗肯定是长诗，不如红叶写的短句那样，有留白的余味，有舒卷的余情。但是红叶和桐叶都是秋天的物什，秋天天气清长，万物凋落，易生怨气，所以是怨诗汹涌和传播的季节吗？

信

《千江有水千江月》这本书，有种复古气息，不仅是文字的半文白，而且还在于它的抒情道具，比如大信和贞观之间，是用书信相交的——每个人都活在无污染、非常环保的绿色田园诗情中：江枫渔火、濯濯莲花里，姐妹聊着床头心事；淡然举箫，眉黛轻蹙中，情侣互传诗句；爱情的触媒，也就是少时一个轻佻的鱼刺，隔着窗户纸，彼此都不挑破的几句边缘调情，即便对方是“泱泱君子，堂堂相貌”的意中人，也要发乎情，止乎礼，男有信而女有贞，不重肉体的亲爱，更重心契。看这对男女用古代戏剧里才有的文艺腔对白互传尺牍，我有几分不耐烦，恶作剧地暗想，如果给他们配上因特网、QQ、MSN（聊天工具）、视频、手机短信，是不是这段情早就抵达彼岸，灰飞烟灭了？

慢一点，再慢一点，现代人，缺乏的其实就是这种慢生活，一切都来得太快捷，也太易挥发。就像床是肉体的欢愉地一样，尺牍实乃精神恋爱的必备品。古人鱼雁传书，纸短情长，回味和咀嚼的余时余地都大得多，人的心，也是山高水长，悠悠不已。甚至，信也可以不着一事，即满纸春色，清少纳言的书里写：“在月光非常明亮的晚上，极其鲜明的红色的纸上面，只写道‘并无别事’，叫使者送来，放在廊下，映着月光看时，实在觉得很有趣味。”——也没啥具体的念想，就是姑娘你像一艘月夜的小船，时隐时现，一直在我心里荡出波纹啊。

信不一定是纸媒，也可以是实物。《古诗源》每每看得我落泪：“庭中有奇树，绿叶发华滋。攀条折其荣，将以遗所思。馨香盈怀袖，路远莫致之。此物何足贵，但感别经时。”连树叶都青黄几回了，心里惦念的人，却看不到。《枕草子》里写：“黎明的时候忽而看见了男人所忘在枕边的笛子，也是很有意思的。等他后来差人来取，包了给他，简直是同普通的一封信一样。”心意抵达即可，无须浪费笔墨。

信来自不知名的时空，具有某种神秘性。卡夫卡临终前，认识了一个小姑娘，小姑娘丢了心爱的布娃娃，痛哭流涕。卡夫卡决定拟作信札一叠，叫作“洋娃娃来信”，不时告知小姑娘洋娃娃在路上的奇遇，卡夫卡费尽心思，写了很多洋娃娃的路遇，最后还让洋娃娃嫁了人，并细细描她的生活近况，这时，小姑娘已经从失去玩偶的痛楚中解脱出来了。这是奥斯特讲的一个故事，我并不知其是戏说还是真事，但是里面有神谕的感觉，就是“一旦活在故事性之中，就可以抵御现实”。

信也可以是自斟和独舞。亦舒小说《心扉的信》里，小女孩长于单亲家庭，自小被卖作商人妾，但是一个叫心扉的女孩子，一直给她写信，鼓励她自强上进，笑对生活，之后她果然摆脱商贾，自立嫁人，修得善果。后来她丈夫去寻找心扉，感谢她对妻子的激励，才发现，所有这些信，都是孤绝的妻子自己写给自己，用以自励的，他潸然泪下，倍感对妻子的怜爱。其实这些信真没啥，倒是这个丈夫，无视妻子身世的霉斑和不清白，对之爱若珍宝，实属难得。有些自语的信，是写给记忆的。席慕蓉的诗，有一首到现在还记得：“我在长长的夜里给你写信，然后在清晨，把与你有关的每一个字删掉。”席的诗里，总是有个旧人的影子，“我终于明白，这人世间的每一条路，我都不能与你同行”。中年女子，在镜子前，梳理初白的发，想着这些缘起缘灭，怕也是满腹唏嘘。

信总是写给最贴心的人——萨义德的《格格不入》里提到，

年过半百的他，在知道自己患了白血病后，立刻坐下来给母亲写信，写了半页后，才醒悟到母亲已经不在人世。最虚弱的时候，都想依傍母爱的。更伤怀的还有，韩素音的自传里，写到她在新加坡，收到男友在朝鲜阵亡的电报，但他的情书还在缓慢地依次到达。此身不再情常在，睹物思人，莫过于此。最深情的绝情信，应该是小龙女给杨过的断崖诗吧。手写信的时代真是令人怀恋，经典怀旧片《玻璃之城》里，舒淇把旧信一封封投进当年的信箱里，也收获了旧爱黎明。这两个人的重燃，也就和这些信一样，更是一种对纯真年代的缅怀吧。

所谓尺牍，原是不拟发表的私书，文章也是寥寥数句，或诉情愫，或叙事实，好的尺牍要说真话，不造作。尺牍一旦有了着意的矜持，或拟定要发表，就有廉价的表演性。我很喜欢周作人的尺牍。他精读宋人小品文，深得其中神韵。谈文、搜书、聚宴、饮酒、赏花、制笺、写字、撰联等，素雅悠闲，情趣盎然，是典型的旧式文人的审美观。周坚持不谈正事，“办理公务，或雌黄人物者悉不录”，因为这些信是要发表的，涉及褒贬人物，则有违宽柔敦厚。倒是他晚年致曹聚仁、鲍耀明的信，因是“不拟发表”，是故能放言述之，或叙生活之窘迫，或臧否人物，显示了周作人性格中更为真实的一面。

吃花

读丘彦明的田园手记《浮生悠悠》，此女嗜花草，为了延长花期，不惜关了暖气，窗外大雪如席，她自拥被赏花，这个痴者甚是可爱。她不但植花惜花护花，更吃花。临睡前喝德国甘菊茶促眠，咳嗽时饮来时花，煮面时扔几朵蒲公英，做汤时撒一簇黄瓜草花，紫色的蓓蕾在汤面徐徐展开，暗香徐来，倍添画意。如斯细节，让人觉得这个女子确实是兰心蕙质，巧手锦心。这个吃花是清欢之味。

说实话，吃花常常是审美快感，或是意象附会大于实用目的，无须承担写实责任的武侠书里，常有此类角色。金庸笔下有一个女子，穿花拂柳、闲庭信步间，随时随地就摘了鲜花来吃，就像小孩子吃零食，长此享用鲜花食谱的结果是，她面色红润、吐气若兰、周身香气馥郁，如小花小鹿般原味天真。当然，地球人都知道，我说的是香香公主。金庸笔下没有烟火气的女人都让我发寒。香香公主话说年已十八，长于乱世，可是依旧稚拙娇憨，不解世事。这样她就成功地把应世的压力转移给周围人了，还可以理直气壮地免责。她小指头都不动一下，只凭几抹憨笑，即刻抢走霍青桐的心上人。霍姐姐指挥千军万马，眉色不动，气度不输于男儿，可惜拿这个吃花的巨婴妹妹毫无办法。香香的灵感源头，应该是那个吃雪莲的香妃吧。便是香妃的传说，我觉得也是强化她异域气质的文学手段罢了。

女人吃花，是为了强调其花性：色美，不俗，气韵动人。男人食花，多半是意识形态处用力，踮了脚跟摆名士POSE（姿势）。屈原在《离骚》中说："朝饮木兰之坠露兮，夕餐秋菊之落英。"菊科植物确实自古是食用品，但是老先生的话里，似乎还是为了标榜自己的"品"之不流俗，倒不见得是顿顿吃菊叶汤吧。《离骚》怎么都不如《诗经》朴素可爱，它把植物都划分成恶草、香草，野蛮附会，用于自比，小心眼。

花可以吃精神，吃气质，还可以吃它的意味。《盛世恋》里，新妇清早醒来，对男人怀了隔宿的怨气，把百合的落英一口口吃掉，说"看上去那么美，却味苦"，其实这是比喻婚姻。既要实用又要娱乐性，存了求全的心，难怪这婚事不得善终。从科学角度来说，百合花单宁酸含量高，味涩且微酸，口感自然不佳。

花还可以吃形：《红楼梦》里，宝玉染恙，要食一点清鲜开胃的东西，凤姐便寻了花色模具出来，做了花形的面疙瘩汤给他吃。小时候爸爸从扬州带回来琼花饼给我吃，就是面饼做成琼花的样子，滋味平平，唯独那脆薄如云的形制，颇有几分形似，有意趣，不能忘。

花可以吃香：由玫瑰花提取的玫瑰精油，制出祛口臭的含片、口香糖，不但可以养胃，也可以齿颊留香。梁实秋老来常怀恋京都旧食，有一味是藤萝饼，念念不忘。其实此物制作非常便利，就是把藤萝花加了脂油丁和白糖拌匀清蒸就好了。饼色暖红，芬芳清冽，春情动人，哈哈，可以叫春色饼。茉莉花可以酿酒，将花露涂于碗底，倒扣在酒瓶上方，经月乃成。开瓶气味氤氲，浑然天成，据说《金瓶梅》里用的就是这个方子。孙玉娥是个烹饪高手，另外还做过一道木樨鱼干，这是拿桂花调味。

花可以吃露：孟晖的《画堂香事》，非常女性化而且有操作性，比如她提出，可以用咖啡机自助做出玫瑰香露。只要下班时带把玫瑰回来，用蒸馏意大利咖啡的方式，片刻即成，可拌饭，可香体，可熏室。

花可以吃质：除了毒害品种，大多数体味清淡的花卉，都可以裹了面糊，清炸食用。车前子也写吃花，吃的是“萱草”，古人喜欢把它植于中庭，用以怀恋母亲。车前子的笔墨一向轻灵调皮，“吃出我一嘴惆怅”。同为苏州人的朱文颖写过花宴，说是道道都与花有关，非常精细且费神，朱是个比较精神化的写手，也很少流连于物质细节，我好像从不记得她笔下的吃喝玩乐这类琐细。南宋吴太后，礼佛，戒杀生，然风雅，她常常取了梅花凉拌，而且，只食落英，真是宅心慈悲。

花也可吃色：丘彦明就很喜欢拿黄瓜草的紫花，常拿来装饰冰激凌。

我多少有点花痴，但并不热衷吃花。过去因为身体的缘故，一直在吃红花和玫瑰，也不是刻意服用，不过是中药袋里夹带的零星花蕾。玫瑰花给我挑出来泡茶喝了，据说是可以活血养颜，可惜它们是染色处理过的，颜色全掉进水里了，对我的颜面，倒没看出有啥裨益。薰衣草是放在透明茶壶里，睡前需要宁神时，煮了片刻食用，多半是为了欣赏其水色微紫，宁静怡人，口感也寡淡，没啥回味。甘菊好些，尤其是小品种，黄心的杭白菊，冬日手执一杯，润喉清咽，且香气清远。花茶的常用搭档是茉莉绿茶，桂花红茶，我倒嫌它干扰了茶汤，还不如清品，存本味。

绿

去年伊始，我疯狂地沉溺于绿色。夏天的棉麻短裤是橄榄绿，七分裤是迷彩，T恤是灰绿。天热，一身绿色，像把脸埋在刚割过的草坪里，呼吸都清凉一点。前两天逛街买了两件棉麻长衫，流行的宫廷风格，复古的阔袖，下摆带点微微的裙边，一件是深绿，吸足了水分的墨菊那样，还有一件是墨绿，像一棵胖树的荫，开领低，露出一大片颈脖，想着可以搭条珊瑚珠项链，哈哈，那个视觉效果，一定很像克利早年未走抽象路线时的田园画，郁郁葱葱的小树林里，露出三三两两的暖红屋顶，上面矗立着可爱的小烟囱，矮矮的屋檐下，安居乐业的一家人。那是我喜欢的、童话质地的笃定和安心。

绿色是休憩和疗伤色，好像长句子的逗号，中转站的座椅，雷雨中的电话亭，第一抹春日的暖阳。茜茜公主的爸爸，让她在不开心的时候，就去森林里走走，这里面大概也有绿色的镇定作用。

绿色之美很深邃——伍尔芙喜欢用一些惊险着陆的句子，去形容女人的美，有一个是“脸色像百合花一样苍白，眼睛像雪松那样幽暗”，伍尔芙到底是一个优秀画家的妹妹，兼一群艺术家的精神领袖，这个搭色还是很精准的。古井般幽深的绿眼睛，配百合花瓣般细白的肤色，真是踩准韵脚了，此种配置，最好的代言人，就是《飘》里费雯丽演的郝思嘉。看过电影的人都应该记得，黑妈妈为了保护郝思嘉的白皮肤，总是寸步不离地在她身后撑着小阳伞。至于绿眼睛，米切尔第一眼看见郝思嘉就说：“天啊，她的绿眼睛在跳舞！”十六岁时颠倒众生的舞会上，她穿的是绿裙子，白瑞德做投机生意，给爱美成性的她，送来的也是一顶绿帽子。后来她落魄农庄，又裁剪了绿窗帘做新裙子，去找白同学借钱。而这一切的绿，都是为了给她的绿眼睛押韵。

如果是东方人，用绿就得小心一点，因为我们皮肤微黄，色彩亮度和兼容度都不够，张小娴很偏爱绿色，我仔细地研究了她的照片，涂的是那种淡淡的水绿眼影，粉底是象牙白，

「流言」

腮红是若有若无的一点桃子红，整体感觉还蛮清新干净的。

对于肉体而言，绿色多少有点超现实，是眼睛这种细处也罢了，如是大面积就很可怕。少时看《绿山墙的安妮》，安妮小时候非常臭美，视自己的红头发为外形败笔，终于有一次，在养母出游的时候，她用零花钱买了一瓶廉价染色剂，把头发给染了，等养母回家的时候，看见的居然是一个绿发少女！大家狂笑不止，安妮深感羞耻，从此治愈了她肤浅的虚荣心。这个故事和书里的其他章节一样，让人掩嘴偷笑的轻喜剧风格，有点成长的、蚊子轻叮的细微烦恼，但绝不至于走到悲剧那么远。

卡萨特的画常常让我觉得板滞，不过我很喜欢她笔下的绿，那种绿接近中国古诗里的“碧”，是一种润泽、柔软、饱和、清浅的蓝绿色，这种颜色好像溶解了很多水分——卡萨特一生都很亲水，她寓居法国，唯一不习惯的就是法国当时的洗浴习惯，不及美国人勤快，她还特地让工人加装了一间浴室，她也喜欢画水景。

高纯度的蓝绿，则是一种危险的中间色，有个德国色彩专家说，喜欢这种颜色的人，很多是孤僻的天才。我想到一个实例，张爱玲同学《传奇》的首印封面，就是蓝绿色。她还喜欢穿这种颜色的华服，我的妈呀，除了长期受忽视、度过荒芜青春期、急于抓人眼球的古怪少女，谁敢把这种广告色往身上披挂。

我还记得很多绿色的书，它们多数是一些草木书，或清凉之作。比如《日本古典俳句选》、《如梦记》、汪曾祺的《人间草木》、潘富俊的《楚辞植物图鉴》。黑塞的《堤契诺之歌》，就是浅浅的水绿封面，像无风的一池春水。这本书也非常宁静淡泊，一个反战的德国人，远离喧哗燥热的名利纷争，杜绝交际，隐居山林写下的文字，记下紫色的暮霭、金绿的桑树、日落时蝶翅般斑斓的山谷、钴蓝色的澄净湖泊、旭日初暖的森林里小小的散步。最激怒我的绿色封面，是顾村言那本《人间有味》，刺目得简直有点野蛮的黄绿，记号笔那种荧光色，和顾那本安静朴素的植物心性的书，太冲突了。前一阵子读的托马斯·沃尔夫传记，封面是一种调和绿，像软玉，那种绿本身很随和、安静，让人舒缓，但沃尔夫本人，是个体内有很多青春际物质涌动、像盆没兑好的洗澡水那样，忽冷忽热，生命力很旺盛的人，我觉得他是红色的。

有绿色的地方，就有红。绿肥红瘦，红男绿女，那都是老搭档了。《挪威的森林》里，渡边喜欢的女孩叫绿子，她有个姐姐叫桃子。《一帘幽梦》里，紫菱的姐姐叫绿萍。红这个字，入名字，不小心就俗艳了，绿字用得好，倒有种夏日早晨的清新。一个过于诗意的字，很容易就飘了，最好用具象、植物气质的压一下，比如“绿珠”“绿野”“绿萍”。一虚一实，比较稳妥。

画眉

夜读《老学庵笔记》，摘抄一段如下：

东坡《牡丹诗》云：“一朵妖红翠欲流。”初不晓“翠欲流”为何语。及游成都，过木行街，有大署市肆曰“郭家鲜翠红紫铺”。问土人，乃知蜀语“鲜翠”犹言“鲜明”也。东坡盖用乡语云。蜀人又谓糊窗曰“泥窗”，花蕊夫人《宫词》云：“红锦泥窗绕四廊。”非曾游蜀，亦所不解。

然，前一阵子读关于古人衣食起居的一本书，也曾经提到过这个问题。《琴赋》里的“新衣翠粲”，这个“翠”字也是鲜明的意思，而不是指色彩层面上的“翠绿”。同样，在《花间词》里的“眉剪春山翠”“眉翠秋山远”“远山眉黛绿”，同是指色泽的水润明丽。一副珑玲的好眉，才能与莲脸、桃花面相映生辉啊。《花间词》是五代前后的，当时的女人都是用“黛”来画眉，好一点的，是天然石黛，或进口青黛；平民一点的，是人造石黛，用苏方木煮了汁液，加入石灰，再浸蓝汁，混合香料，制成石块状。用时研磨，晕开使用，好像团墨的用法一样。所以，古人之眉，是有色有香的。中唐以后，制墨法完善，干脆直接用墨画眉了。所以，眉式也多了。还有，当时时兴给心上人送印在绫帕上的眉痕，也是和这个有关。

看唐代仕女图的时候，常常会心生疑惑。那里面的女人，感觉都眉眼比例很失调，事后再仔细端详，才发现她们是开眉修额了，也就是剃掉了眉毛和部分头发，使发际上移，露出开阔的前额，以供各种新式眉样摩登上场呢。难怪“梳洗倦，冶游慵，春睡浓”是很严重的事情，你想想看，她如果不画眉，就是秃眉了，多可怕呀。中国人衣着保守，肉体暴露有限，作为有幸出没在人们视线里的眉毛，是一个重要的性感道具。毛姆的《剧院风情》里写“这女人是天生的演员，眉毛眼睛都好像橡胶做的一样活络”……我家皮皮就有这么一副灵动的眉毛，小家伙一笑就会把眉毛高高地挑起来，哭之前就是一个倒“八”字，难怪有“眉飞色舞”“眉目传情”“死眉瞪眼”“深情在睫，孤意在眉”之说。眉语，也是姿态体系的一个重要分支，就抒情功能而言，眉毛一点都不弱于其他器官。

西汉之后，动不动就用“远山”形容女人姣好的眉型，可能古时偏好长而略弯，也就是有“山意”的眉。桂叶眉是阔眉，粗眉专欺压眼睛，西人深目浓睫，比较配宽眉。比如伊丽莎白·泰勒的杏仁眼，配她浓浓的卧蚕眉，就很夺目。但如果是东方人的细长眼睛，被这种眉毛一压就失神了。你看仕女图里，好多女人的细眼睛上方，都蹲踞着一副宽眉，好像是另外一双眼睛似的，从我们现代人的审美来看，实在不美。柳叶眉是弯眉，古书里喜欢拿它配凤眼。王熙凤就是这个眉眼配置，可以想象那个眼波流转的骨质风流。“语多时，依旧桃花面，频低柳叶眉。半羞还半喜，欲去又依依。”桃花对柳叶，真是娇媚。

月棱眉，是初月般的淡远朦胧，眉尾用手指化开，像月晕一样。月眉观之可亲，圣母多是这种眉型。西方人是金色眉睫，从色和型上，都更接近“月华”这个意象。波提契利笔下的圣母，一张干净绝尘的处女脸上，光洁的月眉挑得极细，细眉配着欣欣垂散的金发，优雅出尘，烟火气皆无，这是当时翡冷翠贵族的口味。含烟眉，应该是淡若烟霭纷纷，轻扫即成。只有很清明的韵致、很纤柔的五官才能配这种眉型。比如林黛玉同学，就长着“两弯似蹙非蹙罥烟眉”。蛾眉，像蚕蛾触须似的弯而长的眉毛，故名。这是先秦时就风行的，细长而弯，眉目楚楚，又不失妩媚。隋炀帝好这种眉型，他宠爱的那个吴绛仙，就喜欢画这种眉，还引领一时风尚。我觉得她应该是丰润的鹅蛋脸，热带水果般的甜而微醺。这种长弯眉，配圆脸也好看，杨家姐妹都好这种眉。“却嫌脂粉污颜色，淡扫蛾眉朝至尊”“宛转蛾眉马前死”。

小山眉，应该是挑出点眉峰的，东方人面容平缓，五官清淡，这种眉型很显精神相，冯小刚的《夜宴》里，演员画的就是这种眉，也有人说太凶相。我本人就是脸圆且眉型平坦，每次去修眉，都央人把我依稀的一点眉峰修出来。并且，我的双眉太近，要在古代，可以就势处理成连眉，曹操好这种眉型，也可能是东汉崇尚长眉的遗风。相书上说“连眉者，胸襟狭窄，器量小，性格桀骜偏激”，哦，倒是蛮像曹操本人的。不过，最著名的连眉，应该是墨西哥女画家弗里达，从未见过女人给自己描摹那样的、热带植物般浓郁的眉毛，她的激情是类似的质地，当它有个健康的出口时，就是建设性的，比如她对绘画和男人的爱，反向一下，就是自我毁灭，比如她求爱不得时的自虐。

我家皮皮长的这种趣怪八字眉，很招人疼，当年张清芳出道时，就是用的这副招牌造型，不过时日久了，也让人觉得“怨女”味太重。后来她人气下滑，为了转运，重改了眉形，哈哈。类似的，还有细而微蹙、淡淡苦味的“愁眉”。愁眉比较容易造就苦脸，看上去一副凄苦无依相，惹人怜爱吧。反正在中国男人的爱典里，可怜和可爱是同义词。东汉大美人孙寿首创这种便于示弱的眉形。“改惊翠眉为愁眉”，当时较流行，后来，大家都把她老公梁翼的衰运归罪于她的苦瓜脸，说是没有旺夫相，哈哈。不对称的眉形叫鸳鸯眉，比如费雯丽同学。但这有什么关系呢？“她的浓眉下，一双绿眼睛在跳舞！”这是米切尔形容初见费雯丽时的惊艳感。当《飘》里的郝思嘉把一侧眉峰高高挑起，攥紧拳头要扭转败局，把阿希礼夺回时，那个汹涌的征服欲，天，太有野性美了。

画眉是很理直气壮的闺房娱乐，张敞为妻画眉，连皇帝老子也管不了，“臣闻闺房之内，夫妇之私，有过于画眉者。”还好他没遇上难伺候的老婆，比如《美人眉》里那个，“扫黛嫌浓，涂铅讶浅”，或是个急于赶时髦，唯恐落伍的摩登太太，成天絮叨着问：“画眉深浅入时无？”哈哈，眉毛当然也有时尚款式，各式眉样，都录入了类似《画眉宝典》的书里，流行坊间。宫里有宫室眉，民间有草根眉，最会画眉的可能是妓女。因为硬件配置的好赖，事关生意好坏。有一个创造了好多新眉式的妓女，还凭着这个手艺，进入了《清异录》。画眉是被默认的正当举措，开元年间，就有一个尼姑因为每日参禅，突发灵感，揣摩出了“文殊眉”，而被载入史册了。文殊眉，想来应该是辽远入发际，暗喻福寿的长眉吧。

夜航

《情人》里，一个细节很打动我，是在结尾处，那个凛冽的告别。不是西贡码头隐没在人群后的凝视，也不是泪如雨下的湿漉漉床戏，也不是渐行渐远渐模糊的加长轿车，而是：在茫茫大海上，那一艘孤轮。

在《真相与传奇》里，看到杜拉斯少年时代的脸，五官明艳，不是那种精神化、以气韵动人的精致，而是一种粗鲁的感官美。你很容易想象，这样一个人，贪欢纵欲，硬冷决绝，绝对不会在离别的码头上落泪吻别。

然而，在夜航的轮船上，钢琴声若有若无。人群散去的暗夜里，她偷偷潜进咖啡厅，听那“为音乐而音乐的琴声”。大船一直往前开，轻盈地穿越着昼与夜。直到一天夜里，一个年轻人跳海殉情了，船才停下来，打着转，点亮聚光灯，找了几圈，未果。尸体径自沉入海底，大船兀自起航，远去。两两相忘。冰凉的乐声四起，少女杜拉斯这才放肆地啜泣起来，不能抑止。

这一刻，那种后知后觉的疼痛，苏醒了，她突然明白，那个心爱的人，她再也看不到了。

想起我看张爱玲的散文，里面写到上海的夜，大而破碎的夜晚，汽笛凄厉，像海上的航行，永远的分离。又硬又凉的句子，钝钝地从皮肤上割过去。现在，我突然触摸到了杜拉斯的离别之痛和张爱玲的刺骨孤独。

大海，夜色，一个人独面深渊般无法告解的孤独。这个场景，一直深埋在杜拉斯的意象库里。后来她写过一篇小说，叫《黑夜号轮船》，那是两个从未谋面的爱人，他们靠话语为生，以电话线为媒，在寒夜里互相取暖，一直到她生命最后一刻。他第一次见到她，是墓碑上一个冰冷的名字。还未相遇，就已分离。

杜拉斯一生亲水，晚年的时候，她在特鲁维尔买了著名的黑岩公寓，整日面海而居。“看海，就是看一切。”起雾的夜晚，通宵都能听见雾笛召唤船只回港。变幻不定的海雾中，会看到迷航的游艇。《物质生活》，还有《八〇年夏》的伴音，是湿冷的汽笛。

我经历过一次夜航。那是二十岁的时候，坐船过三峡，从武昌溯流而上的时候，风景突然好起来，水质也明澈。夜里过了葛洲坝，船上的人，三三两两，披衣起坐，有的是趴在船舷上看，夜航中很难见到那么密集的灯火，那种疏离中的亲切，人气突然逼近的感觉，到现在还记得。过了大坝后人散了，夜里醒来上厕所，发现船头打着探照灯，非常缓慢地，夹在两道绝壁中，前行着，抬头是峭削百余丈的壁石，森森地逼过来，下面是深渊般的水，突然感觉我们的船，非常的单薄，感觉自己，非常的脆弱无依。

有这样的经验储备，所以我很能明白，一个用夜航来打开故事的人，她想说什么。

看《东坡志林》，记他自己夜过合浦，连日大雨，四面涨水，他乘了一只打珠的小舟，“无月，碇宿大海中。天水相接，星河满天，起坐四顾太息”，被大海包围的失眠，是不一样的，在宏观事物的对峙和逼近中，会自觉很渺小，一点寒薄的身世感。人在这时候都有点虚弱无主，不然他为什么写“稚子过在旁鼾睡，呼不应”呢?

乡间的夜航，触目即岸，比较有安全感，是另一种风味。

周作人少时常常坐船去南京求学，夜间闻着河水的清鲜气息、泥土味道，看看岸上的渔火，那是闲趣。

还有一种夜航，是飞行。《越洋情书》里看到，西蒙·波伏瓦就是坐夜航班去美国的，因为她欣喜地记下了芝加哥的璀璨灯火。当时我想，这个女人，怀揣着怎样的热望啊。波伏瓦是个很喜欢尝试新鲜事物的人，夜航，当时还被视作危险物的一种旅行方式。她对奥尔格伦的爱，及实践这种爱情的方式，自始至终，都伴随着飞机螺旋桨的轰鸣声。他们的书简，是飞机传送的，他们的面晤，是飞机承载的，情书维持了十七年，最后因为波伏瓦把奥尔格伦写进小说，两人起了冲突而告终。原来，他们的爱情，也是夜航质地的：冒险、华美、奢侈，是黑暗中的片羽，却难有落地的踏实感。

圣埃克苏佩里，写过一个《夜航》。那些开拓南美新航线的勇士们，他们的生活、爱情、勇气和智慧，结局是：在最后一次飞行中，主角永远地消失在了天空的尽头。圣埃克苏佩里本人，也在一九四四年，为盟军执行空中侦察任务时，一去不返，下落不明。这部小说，是个悲怆的预言。印象最深的是：单飞时，在云端俯瞰世间的孤独，还有，漫长的飞行之后，飞行员突然看见远处密集的灯火，心头涌动的狂喜。

因为有灯的地方，就有亲人和家园。雅克·娇兰，被小说的壮丽意境打动，于一九三三年，调制出了午夜飞行香水。意旨是，送给飞行员们焦灼等待的爱人们。

自由、冒险、勇气，还有爱与忠贞。午夜飞行，这个意象实在浪漫蚀骨。所以很能理解，为什么耽于情调的小资作家，都写过同名小说。亦舒的《午夜飞行》里，粗糙的现实，到底颠覆了诗情，男人并没有得到忠贞留守的情人，他爱的是个物质女郎，很友善地劝他另谋爱侣，那瓶励志的香水，也是徒劳。安妮宝贝写的是个阴森破碎的情杀故事，好像，血色和这个名字真不般配啊。最好的是水瓶鲸鱼那个。法国男友赠送的旧物，是一瓶娇兰香水。斯人已隔天涯，女主角吃着蚵仔煎，踢踧着凉拖，在夜里想起他的毛衣，一点点带着体温的记忆，淡淡的留香，真是惆怅旧欢如梦。

气味

爱上了李医生的果萃面膜，果冻状的，价廉，一气囤了两罐，保湿效果平平，但那个气味让我觉得很幸福。那是一种草莓酸奶的甜香，有点嗲，有点糯，能引发食欲的软香，似曾相识。但今天早晨，我才从记忆库里调出来类似的香型，是小时候用的一款圆珠笔，那年特别流行香水笔，用它写作业，贴近本子，能嗅到甜甜的花果香，但是它笔径粗，很耗油，一下就用完了。我曾经用它勾画过一本《朦胧诗选》，那个青葱的夏天，就是这个气味。

很多气味让我喜悦。比如四月间的空气，新叶初萌的清香，台风过境后，被摧折枯枝的草木味，风雨欲来时，微潮的水汽，会让我想起某次在沿海城市的旅行。又如青草的气味——每年春夏之交，物业公司都会来割草坪，那几天，就

BLACK
BLAZE

有浓浓的草汁味从楼下飘上来，正逢换季，晒冬衣，试新裙，捂了一个冬天的肌肤，都可以见光，一闻到那种饱含阳光的草香，我就非常雀跃。还有艾草的苦香，意味着端午将至，要架蚊帐，换凉席，喝芦蒿汤，也快放暑假了。

有的气味，让人坠入时光深处，比如旧书店里，骑马钉的锈味，还有年久失修的教学楼里，轻尘的气息。当然不愉快的气味也有，清凉油味让我紧张，可能因为我有考场恐惧症，过去有个同学特别喜欢用这个醒神。另外酒精味道让我恐惧，自小就晕针。

还常常把气味和人对号入座，比如“表姐是甜的”。我妈特别节俭，常常把表姐穿小的衣物拿给我穿，我一直诧异她衣饰上有种特别沉静的甜香，后来才知道是樟木箱的气味。爸爸过去抽三五烟，烟草的微醺，特别能激起我对男人的欲望，可惜成年后交往的异性都是不抽烟的。

男人的气味很微妙，有的像勃发的小兽，有的像煮开的新鲜猪油，有的人汗骚味很性感，而有的人则感觉不洁。美国监狱把男犯的汗液涂在女犯的唇颚上，用以治疗后者的月经失调，据说效果显著。约瑟芬即使在大战时，也要园丁穿越封锁线为她搞玫瑰花种，每次拿破仑来之前，她都要铺满地席，说是玫瑰的香气是最催情的。路易十五更加疯狂，干脆把鸽子浸在香水里，到黄昏再让它们扑簌飞起，扑腾出香雾。《慢船去中国》里的简妮，把鲁克身上的喷剂气味理解成金发男子的体味，进而美化成异国情调，分外陶醉，后来她在另外一个美国人身上也嗅到了这个味道，马上就哭了，原来这只是再庸常不过的廉价清新剂而已。

林黛玉当然是药香，精神化，又没有烟火气，薛宝钗自然是冷香，表面一团热闹，实则性冷不可亲。低温的香，总是让人觉得很洁净，比如薄荷味的口香糖、茶香的牙膏、柠檬味的洗衣皂。我一点也不奇怪安妮宝贝吃素菜，喝清水，用苔藓味香水，这些和她清冷的语境，是配套的。世界上最温暖的香味，是孩童的乳香，皮皮小时候穿的罩衣，洗过很多次，但奇怪的是，这种体味，就是清淡而执着地徘徊不去。

《薰衣草》里，陈慧琳是个调香师，她能高妙地调出记忆里的气味，用以治疗落寞妇人的中年苦闷，失意男人的内心隐创，也能为自己疗伤。《匈牙利之水》里，“我”和“A”，为了寻觅美好的旧日，就各自收集过往的气味，比如“雨后的树林+猪肥+芒果酸=当兵时的情人”，还有“栀子+奶香=同桌的你”，最后两个人在一起的游戏就是，试探对方由气味激起的回忆。“A”闭上眼，“我”拿起一朵夜合花放在他鼻下，“嗯，童年时的外婆，每到黄昏，快吃饭时，她就去摘夜合花”。然后“我”闭目以待，“A”拿起一张传真纸，“我”沮丧地说：“办公室，加夜班。”

淘宝上有卖收集日光的瓶子，我希望有人发明收集气味的器物。有了气味，不用再害怕得老年痴呆，只要这些味道还留存世间，我就可以像看电影一样，回放自己的一生。

老歌

半夜朋友发短信给我，问我在干吗，我说在听广播。当时正听到凤飞飞的《掌声响起》，听着听着就哭了。老歌像秦汉散文，有着文字最初的元气凝神之美，现在的歌，是宋以后的文学，成熟过度的文明，雕琢之下的生命力衰败。我想，老歌特别打动我的就是“大老实”，歌词很老实，全是不设防的大白话，“人生几何，能够得到知己，失去生命的力量也不可惜，所以我求求你，别让我离开你，除了你，我不能感到一丝丝情意”，唱这首歌的那个女孩子，因为“出身不清白，做过歌女”，被豪门拒之门外，婚事打水漂，从此一身茕茕。

真像二十世纪的《古诗源》。言情小说在我手上转了少说有上千本，《古诗源》我却看了十年，“同心而离居，忧伤以终老”“思君令人老，岁月忽已晚”，活蹦乱跳一颗红心塞进你手里，任你揉搓。现代人不舍得这样掏心，歌词总写得若即若离，唯恐踩准了实意，落了话柄，最后又成了笑柄。他们给自己留足了余地，爱只剩下前方的空白地带，“边走边爱，人山人海，手拿着车票微笑着等待”，痴情也少了憨拙，由此非常悲壮，“彼岸，没有灯火，我一个人在等”。

凤飞飞的声音，也很老实，声线平直，音域窄，因为这个硬件缺陷，使之无法剧烈煽情，反而有种清水的原味，耐听。《滚滚红尘》，是多年以前看的了，剧情都已经模糊，就记得林大美人穿了件极晦暗的粗布旗袍，秦汉围了条“五四”围巾，一些红尘来去，情缘起落，还有凤飞飞翻唱过这首歌，平平直直，“来易来，去难去，数十载的人世情”，秦汉抱着头巾下的林青霞跳舞，来日大难，且不管它，一颗心只管轻旋，轻旋，在尘嚣渐起的乱世，郁郁苍苍的身世感，再回首，已是百年身。玻璃窗外，秦汉满面胡碴的脸，他在逃难。这歌一听就哭，我，现在再也找不到这个版本了。三毛去世时，罗大佑亲自操刀写了《追梦人》，没有使用三毛生前的御用歌手齐豫、潘越云和林慧萍，反而选了已隐退的凤飞飞，比起那三个过于鲜翠流丽表情丰富的声音，唯有凤飞飞这个淡、直、平，才真正在你卸甲放松时，击中人心的软处。

她吐字也不清，有次看见别人给她挑刺，把她唱错的歌词足足排了一张表。可是我觉得这个含混非常可爱，凤飞飞出身乡野，她的乡音不改，就像她土气的碎花帽子一样，是她根系的一部分。“多少青春不再，多少情怀已更改，我还拥有你的爱”，凤飞飞后来做了商人妇，也因为她乡下人泼辣健旺的生命力吧，比起坐车要戴手套、麦克风都不能与人合用、从理念到爱情都洁癖过度的邓丽君，她反而得了善终。

她还唱过《我的心里只有你》，歌是七十年代仿西洋歌节奏的，“我的心里只有你，没有他，你要相信我的情意，并不假，我的眼睛为了你开，我的眉毛为了你画”，明明是示弱，却又蹦蹦戏花旦一样的佻㒓。老歌里的伤感，也不是“葵花宝典”似的积郁于心，而是热水澡和解毒片，以抒发和排毒为主。《我的前半生》里，唐晶是个女强人，独居一个小公寓，唯一陪伴的人声，是一台收音机，子君去她处避难，就听着收音机里唱白光的老歌，“如果没有‘你’，日子怎么过，我的心也碎，我的事也不能做”，子君问：“真的有这回事？”唐很幽默地眨眨眼：“你最好相信，那个‘你’，是我的工资。”香港职场女强人唐小姐，十分确切、精准、传神地领悟了由上海滩女歌手跨越时空传来的时代精神。

书房

我对别人的家特别有兴趣，落实在行动上，就是常年订阅《时尚家居》，其实名人家居看多了，套路板滞，思路往往重叠，不外乎是年纪小的玩冷金属，极简主义；年纪大点的就复古，五六十年代出生的那批，仿欧式的也多，稍微别致些，就摆点黑人雕塑拉美风情，或是弄两张黑铁椅子，搞点西班牙风味。毫无例外地，不管什么学历，有没有知识背景的名人，书房好比厕所一样，肯定是要配备一个的。

我不是读书人，临睡前翻两页闲书倒是常事，因此也没有书房的问题——名人家居的书房阵势可把我吓住了！张铁林和陈道明，到底是演皇帝的专业户，把戏里的角色感觉也带入生活中了。哇，书房都是全套紫檀，看那雕工和尺寸，咄咄逼人，像是仿清式的，在那样的设计感厚重的书房里，我是找不到人间感觉的，肯定也无法放松下来，进入一本书。

文化人到底是含蓄些，虽也有经营的心思，但尽量痕迹浅些。曾经看到朱叶青的家，整匹的蓝印花布做门帘，配着中式家具，及老先生的中装，地是水磨地砖，因为阅读环境的硬件配置，等老先生手里再翻开一本古书时，仿佛都多了几分理直气壮。还有章诒和的家，整面书墙就是一部二十四史，雕花螺钿的黑漆柜子，上面分格注着“汉史”“宋史”什么的，她淡淡地说，都是父亲家传的。这个我很羡慕，在积淀着时间和亲情背景的环境里读书，感觉很温厚吧。

冯小刚的家上过若干本家居杂志，很好玩。他家的洗脸池据说是定做的，可我怎么看，都像是溧阳砂锅鱼头的那个盆，彩瓷绘花的。他家的书墙好像是在客厅的沙发背后，这个格局倒是很随和，书也是高矮参差不齐，不像有些人家的书，一看都是作秀的道具，精装成套，名目铿锵。冯有好几本词典，好像还有不止一套的《王朔文集》，倒是些家常的书，看着亲切。

杜拉斯到了晚年，住在诺弗勒城堡，那时她已经不读书了，只不分昼夜地喝酒，她随身带的几本书是《圣经》和普鲁斯特、穆齐尔的书，她把所有的时间都省下来痛苦和复制痛苦了。看她晚年的书，就是痛苦在自行发出声音。她的书房窗外，有一个她很不喜欢的水塔，她禁止所有朋友提到它，结果他们真的做到了，而她也真的不记得这个水塔的存在了。我不喜欢这个阴霾的书房。

海明威晚年住在古巴的一个岛上，他那个书房，像是游猎途中的一个栖息地——半人高的书架，散置的几本书，墙上挂的兽皮、猎枪倒是很多，他从来就不是一个知识分子作家，像贝娄或是乔伊斯那样；他的书房没有多少书，更造不了前拥后扑的气势，那根本就是个半开放的生活空间，四壁都是洞开的窗子，和着新鲜空气读书，空气里淡淡的海水气味，我心向往之。

写《骑鹅历险记》的拉格洛夫，她的书房就是家族的餐室，她的书橱像小小的餐具柜，整齐地在餐桌边一字排开。她大概喜欢不与人群切断的读书，喜欢灼热的人气，很享受家庭生活，她的书都是在家人环绕下写出来的。还有一个绝不在餐室里读书的，是伍尔芙，在那个餐室里，“常年盘踞着威风凛凛的厨娘”，她甚至害怕她所有的用人，只有下笔和在沙龙讨论文学艺术的时候，也就是过那种纯精神生活的时候，她是强大的、凌人的，除此之外，在任何其他的领域，她都是虚弱、病态、没有控制力的。她的书房，是她在家里唯一的权力地带。

卡内蒂的小说《迷惘》里，有个老教授，大隐隐于世的那号人，他的隐身之所就是一个书城——真是个城，好几万册书，四壁林立着，森森逼人的。每天一早，他就带着大铜钥匙和干粮，进城去了——这样的书房让我有压迫和闭塞感。这个躲在人群背后的天堂，最后被一个文盲女人颠覆了——她骗了他的钱和感情，我差不多要幸灾乐祸了。

我最喜欢的书房，好像都在古人的书里，张岱的梅花书屋——是在一座倾颓的老楼后面，本身就是个似断非断的独立空间，家人近在耳畔，又有个隔离地带，书房前后的空地上，疏疏朗朗地种着西瓜瓤大牡丹，牡丹可是木本植物，开起来那个声势不得了啊，“岁满三百余朵”，想想那个云蒸霞蔚！窗前有两株海棠，花时瓣“积三尺香雪”！！又有梅骨遒劲，山茶妩媚，最妙的是，前后本是明窗，结果被海棠花影荫蔽了，待白晃晃的光线被花影滤过了以后，都辗转变了暗绿。它还有避世的功用，“余坐卧其中，非高流佳客，不得辄入”——意境、环境、心境，都配置到位了——张岱这个人，好声色美食，也好读书，荤素俱全，亦动亦静，亦邪亦正，明暗光影都全了，是虎虎有生气的人。他的书房亦是，纷然杂陈，热闹中见清净，我喜欢。

还有李渔那个老头，倒也别致有趣，他的建筑理论、筑山理水之说，我并不完全苟同，但他那个书房——书房倒也罢了，他的创意在于——那书房的顶是平顶，在当时算是个异数，这个小老头很自得于自己的小聪明啊——你们看，平顶的房子，夜来可以赏月，春来可以观花，夏来可以晒书，怎么样，我聪明吧？他这个自得，特别可爱，让人隔了百来年还觉得亲。他的书房，想来也是他施展顽皮心性，制造快乐的地方，这样就好。

路菜

今晨读《红楼风俗谭》，内有“茄鲞”一章，说到茄鲞是糟类的“路菜”，突如醍醐灌顶，恍然大悟。当年在阿坝的时候，晨起游四姑娘山，导游是半自助的，把我们召集到入口，按团队价购票，鱼贯入山，就开始自由活动了。临行前，每人发一份“路餐”，其实就是一简装食袋，内有茶叶蛋、饼干、水果、火腿肠之类。我一直以为她是说“露餐”，就是露天野餐的缩写，时至今日才明白，是“路餐”，也就是行路用的佐餐……这个词原来是袭用旧语，真是古意盎然。

从前交通并不便利，行路迟迟，载饥载渴，必须带点路上的干粮。这样的食品须干爽，少汁水，便于携带，够咸，够辣，一是开胃，二是防腐。这样，即使到了“鸡声茅店月，人迹板桥霜”的畸零小店，或是在“西出阳关无故人”“风吹草低见牛羊”的茕茕苦旅中，只要随处生火，一锅稀粥烂饭，即可粲然下箸了。肉丁、鸡丁、笋丁、酱黄瓜、鱼干之类，都是常规路菜。《红楼梦》里，黛玉回乡奔丧、薛蟠出门学买卖，都是要备路菜的。茄鲞其实就是其中一味。它以糟油腌制，不会腐败，日久长鲜。

茄鲞算是高档路菜，林则徐贵为钦差大臣，赴广州就任，看他日记所记，日常食用的路菜，也不过是五香大头菜……真是两袖清风，满腹清谈。高鹗续写的《红楼梦》，让红学专家讥笑不已的就是，林黛玉说“南边带来的大头菜，配着粥吃”，同时她又要了虾米白菜汤，以贾府之贵，怎么可能把这两样贫民菜并食。但是大头菜系列的咸菜，确实是路菜之主力，青木正儿北上，火车停站时，他买了一筐“玉爪”，清鲜可口，后来才知道是“王瓜”，也就是“腌乳黄瓜”，虾油浸制而成，小黄瓜放在篾条编制的竹篓子里，内糊油纸，防水也防串味，这也是路菜常用的包装。青木嗜吃腌菜，回到日本后还常常惦念冬菜和腌笋干。一般日本人都口淡，怕苦咸，青木却是异数。

记得在看周作人回忆录的时候，见他提及“路菜”一词，当时注意力就滑过去了，现在想来，倒是盎然有古趣。周是绍兴人，说自己“常年吃极咸的腌鱼和腌菜”，其实这也是路菜中的奢侈品。读书人赶考、商贾出行、农人赶集，除了随身衣物杂项之外，都得携路菜。常见的，不过是简素的“汤料”，香菇、虾米、竹笋枝，晒得极干，好酱油煮焙烘干，食时滚水一冲即可。不费料，也不费工，听起来好像现在的方便面调料。当然，也有人连这小小的行李也嫌费事，周的老乡，同为绍兴人的张岱，就写过一个异人，赤手出游，一路背纤到了京城。周作人还写过赴县城赶考事项，我记得里面没有提到路菜，而是糕点水果之类，仔细想来，是因为考场里物价偏高，一碗水都是平日的数倍，路菜至少都得用水冲调，实在费钱，又容易污了衣物，不如吃糕点充饥算了。

路菜慢慢地也渗透到日常菜系中，从客家人的饮食中，可见路菜的端倪。客家人多是从中原地区迁徙到南方的，长路迢迢，万里关山，逃荒避乱途中，带些干粮和下饭菜也是不得已之举，现在比较著名的客家菜肴，也多带有干、咸、浓的特点，过去看台湾人小说，谁谁说“尝尝我妈的手路菜”，我以为是闽南语，现在看来应该是客家语，就是私家菜之意，也是古风遗韵。

大包

这两年的服饰流行风格，让我无所适从。唯一可取的是，大包开始盛行。上班路上，散步途中，不时可见纤美少女，碎花裙勾出玲珑曲线，挎一大包，或草编，或帆布，线条简练，稚拙清新，顿时消解了花团锦簇的脂粉甜媚气，阔达，爽利，像是奶茶兑了薄荷汁。

我喜欢挎大包的女人。其实大包对硬件多少有些配置要求，太矮、太胖、横截面太大、匮乏轻灵之气的女人，都得对大包止步，H形高挑身材的人，背大包最有视觉效果，还倍添抒情气质。《火花》里的作家李英爱，拎着笔记本包，《雏菊》里的画家全智贤，夹着大画夹，真是清俊不失妩媚。

早几年，看过某时尚类杂志做的一个栏目，好像叫“包包会说话”，采访了几个不同身份的女性，检视她们的包，展

LIFE

示私人琐物，第一个是电视台主持人，打开透明拎包，里面装了安娜苏的蔷薇香水、化妆包，光口红就有几支！据说可随时补妆。此美女少年成名，举手投足间，都见大家风范，她的随身物品，无一不是名牌，都可以傲人展示，但是也充满了表演性。第二个是某名媛，小小的一个坤包，晶片密布。最后一个是女记者，背了个帆布大包，里面装着书、水杯、迷你游戏机、两个手机，唯一的化妆品是个润唇膏，说是“冬天嘛，可以涂在眼角防皱纹啊。一物多用！”——如果交朋友，我会选最后一个，觉得她亲切、草根、丰富、质朴、有趣。

大包有种中性气息。看张小娴给*AMY*写的专栏，展出了很多贴身物品，从内衣到八音盒，巨细不一。港台小资风盛行，当然也是物质文明发达的缘故。她喜欢酒红高跟鞋，也嗜好意大利细布枕头，包包用的却是块头很大的有皮革拎带的挎包，很吃重，还见她撰文表扬诚品书店的赠品，那是一个咸菜绿的书袋，很大，又皮实。我一边看，一边捂嘴偷笑，这才是女作家的行头嘛。安妮宝贝说她喜欢大包，看她列出包里装的东西，吓人一跳，笔记本、书、水果、电脑、围巾、凉鞋、高跟鞋——那篇文章的妙处是它的名字，叫《出走》，她好像无法在任何一个现世的维度上定居，我觉得她是个极度匮乏安全感的孩子，像个小蜗牛一样，恨不能把家背在身上。黄碧云笔下，混血儿叶细细戴成串细镯叮当作响，烟视媚行，佻挞难驯。陈玉却是穿工装裤，背一大包，里面有各种工具，她行事硬朗，埋首前行，完全可以独自对付生活中的小烦恼。

杜拉斯那么娇小的身量，也背个大包。为了夺目，她老人家七十岁都可以穿大红坎肩，但是包包不一样，那是要实用的。香奈儿是热衷推广女性背包的，说是从“二战”飞行员的装备里汲取了灵感，“要解放女性的双手”，这不仅是个体态的改进，更是精神的独立宣言。很难想象一个拎着小手袋、小鸟依人的娇媚女人说：“骄傲成就了我的坏脾气，也是我的力量秘诀，骄傲是一条阿丽安娜之线，时时帮我找回自己。”

大包让人感觉承重——看亦舒小说里，自立女性通常是随便着一件呢大衣、粗布裤，鞋子笨重似坦克，或是一身简洁套装，平底鞋。而家养的金丝雀，不用在社会上搏击，受丛林法则制约，则晚礼服、小坤包，巴掌大，装着化妆包和支票本就行了。比如《没有月亮的晚上》里，海媚就挽了个小包。看《美丽心情》的MV，里面那个避情伤出走的女主角，黯然走出爱巢，频频回首，牵了一条极大的狗，还拎了个很小的行李包（和这狗完全不成比例）——这哪儿是离开爱人嘛，简直像去遛狗。我得声明，就是因为这个道具，干扰了我对这个感伤歌曲的情绪投入。

我一般只用背包，可以腾出手来翻书做事，买的时候都得用本大开本杂志量一下。怀孕的时候，看《孕味》和《妈妈宝贝》，里面有商品目录，有一项是妈妈包，无一例外是大包。你知道一个妈妈的包里要装多少东西吗？奶瓶、水杯、三格装奶粉、尿布片、湿纸巾、面巾纸、安抚奶嘴、驱蚊水、创可贴、口水兜、润肤霜、小玩具。左手抱一个三十斤的幼儿，右手拖这样一个大包，是不是很艰苦？不用担心，师太早就说过：“等你做了妈妈，就会变成大力水手。”

2

第二章 百合

那难以安身的爱啊

我们老板是个金牛座工作狂，上楼梯是小跑，一边口授文案一边打太极。金牛男商人我见过太多，他们的聪明多半落在具体事务上，要么就是感官，吃喝玩乐一般都很热衷。老板与我道不同，这点无须多说，但他的有些行事理念亦为我认可，比如，“任何事情，都是在琐碎的细节中积累出来的”。他指的当然是商务，不过我觉得很多事情是同理，比如读书，你可能读完一本二十万字的书，很艰辛，很细碎，很费时，很耗神，里面的实用信息却不超过五百个字，但这个小枢纽可以帮你扭转方向性的错误。

之前读过《罗丹的情人》，一直对卡米尔·克洛黛尔的际遇坎坷唏嘘不已，但是这次读她的书信选，才慢慢把注意力重心转移到一些外围的、非情感因素的东西上。其实对她的心智干扰最大的，不全是罗丹空泛的甜美许诺，更是一个时代对女人从事雕塑业的限制和苛求。这本书信集里的灰暗气息，有点像塔可夫斯基和里芬斯塔尔回忆录，就是一个不能与世妥协、不够甜熟圆融的艺术家，生存的艰辛，以及一根纤细的神经在重负之下，日益崩溃。塔可夫斯基的回忆录里，也是一张又一张焦头烂额的账单。

罗丹的信也有几封："从今天，一八八六年十月十二日，我只有卡米尔·克洛黛尔这一个学生，我将竭力保护她，永不再收别的学生，以免被干扰，像她这样的天才是罕见的，从现在起，我们的关系是不可分割的，她就是我的妻子。""我注定要认识你，我那黯淡的存在才能在喜悦的火中燃烧，因为你，我的生命得到神性的那部分。"那年卡米尔只有二十二岁，法国最杰出的雕塑家臣服在她脚下，自称她最坚贞的崇拜者、守护天使，在罗丹的斡旋下，国家美术馆开始向她订购作品，如锦前程就在目下。

之后的通信开始由爱恋的火花，变成激战的硝烟，卡米尔搬离罗丹的手臂半径，自行创作，并婉拒他上门，因为所有人都说这个女人不过是凭着美貌和肉体，剽窃了大师的笔墨。在那个对女人非常苛刻的时代，要么附丽于大师，做个甜美的小玩意，廉价的缪斯，要么就与之分庭抗礼，卡米尔很不识趣地选择了后者。一八九八年两人决裂，国家美术馆的订购迟迟不能兑现，卡米尔甚至没有一件出门穿的布裙，这之后的所有信件，不论发向亲人、朋友还是画廊老板，主题几乎只有两个字，就是“借钱”。甜媚的、恼羞成怒的、乞怜的。这些啮齿性的小烦恼，一点点锈蚀了健康的神经，她开始多疑，患得患失，最后恶化成被迫害妄想症。

信件草草翻过，倒是认真地看了书里附的插图和照片，一八八九年的青铜像，罗丹塑的《永恒的情人》，那个高高在上、被膜拜和呵宠的女神，光润如洗的脸庞，明净如月光。到了一九一三年，她从窗洞里被强行拖出，穿上束缚衣，押往精神病院，这一关就是三十年，她被永远地剥夺了创作的权利，直到死。“整个冬天我都没有暖和过，连骨头都冻僵了，我患了严重的伤风，我有个女朋友，被发现冻死在她的床上，这太可怕了，而这样的天气在这里还有七个月，我想回家。”有一张卡米尔在精神病院的照片，一个失神的老妪，支离破碎的脸，这样一个硬骨铮铮的女斗士，在被关押了三十年后，也只能像条狗一样地乞怜：“求求你们，让我回去吧，做女仆，清洁女工，怎么都行。给我一间堆煤的小屋子就行了。”

她丰盛的爱都盛放在那些雕塑里，她的屋子里，都是因为痛苦而扭曲的雕像，难怪罗丹看了以后惊呼：我的雕塑在赞颂生命，而你的却是在歌颂痛苦。罗丹对她的爱里，很大成分是相惜吧，她在精神上完全可以与他抗衡、互动、互解。罗丹临终前，来到卡米尔的青铜像前，一遍遍地抚摸着，哭了。不仅是作为一个女人，而且是个杰出的同行，她震撼了他。从这点来说，她未必没有成功之处。

最打动我的信，却是她在精神病院写给弟弟的那些，在霉湿低矮的破屋里，她用指甲刻下了弟弟每一任外交官职的地点和起止日期。母亲把她扭送到精神病院，妹妹窃取她的财产，情人背弃她，美术馆拒绝她，铸工勒索她，收税官欺凌她，精神病院的病人们彻底的狂叫和呓语，他们让她害怕极了。只有弟弟，始终不渝地爱着她，就是这爱也无法与卡米尔的爱抗衡——参加卡米尔最后一次展览时，弟弟不愿与姐姐见面而偷偷离去，他觉得这个穿着破衣烂衫的癫狂姐姐，实在让人丢脸，她的关爱太过激烈而让人不适。和罗丹一样，他无法回应那澎湃而盛大的爱。

卡米尔生于一八六四年十二月八日，射手座，火象，那个叛教的光头歌手Sinead O’Connor（西尼德·奥康娜），也是这天生日。她们都是一些具有毁灭气质的，沉溺于单向行为的女人，想想看，一支箭一旦射出，怎么会有回路呢。

三个姓波伏瓦的女人

《波伏瓦姐妹》，蒙泰依的书。买它是因为我的女二号情结。我一直对名女人……身边的那个女人比较感兴趣。然而，在书里其实有三个女人：波伏瓦姐妹，还加上她们的娘。

波伏瓦夫人，是一个典型的中产阶级主妇。彼时的风尚就是，有身份的太太绝对不能有赖以糊口的一技之长。她其实是个精力比较过剩的女人，又没有正当出口发泄，再赶上中年危机，老公外遇，所以，只能把所有的怨愤都倾泻给孩子——过度的管束欲。关于这个女人，她的一个亲戚是这样描述她的："她到我们这里来度假，一开始我们很开心，她很活跃又风趣……慢慢她开始管这管那，她走的时候，我们都松了口气。"

大女儿，也就是大名鼎鼎的西蒙·波伏瓦同学。自小性格独立彪悍。父母对她说话，都是协商的语气：“亲爱的，不要碰那个东西好吗？”“这个女儿，你没办法按一般的方式对待她。”妈妈说。但小的那个就不一样了，她性子温软得多，至少看上去是这样。父母对她，都是命令句式，她的外号叫“玩具娃娃”。

玩具娃娃喜欢依赖别人。她的第一个乔木，是姐姐。姐姐手把手教她识字，带她上学。姐姐是妈妈身边的那个小妈妈，她全身心地想依附在姐姐身上。可是姐姐有了自己的朋友，是一个叫扎扎的女孩——西蒙·波伏瓦自小就有双性恋倾向。妹妹从此被撇单了，一种被遗弃的羞愤。

“你不爱我了？”

“我当然爱你。”

“你不会抛弃我？”

“不会的。”

姐姐熄灯睡了，妹妹哭了一整夜。

成长的歧路，到底从何时开始的呢？我想在这本书里找到那个微妙的路标，未果。姐姐继续求学，成绩优异，被巴黎高师录取的时候，她是第二名。第一名，是萨特，这个世界上唯一能让她在智力上俯首的人。她不屈不挠地在儿时的奋斗目标上前行，“按照自己本来面目生活”，与萨特结成自由情侣，用她的一生，实践了“自由女性”这个词的含义。不婚，拒绝中产婚姻中的伪善和滑稽戏；不育，组织支持堕胎的签名；反战，结交阿尔巴尼亚共产党。

妹妹为姐姐担心得发抖，他们被政府列为公敌，随时会被暗杀……说实话，我觉得她真是多虑。看萨特和波伏瓦同学参政，简直是恶搞。门窗大开的聚会，话音四处飘散。成员名单都弄丢在大街上。

妹妹成了姐姐嗤之以鼻的小资产阶级主妇。嫁人，画画，做政府官员，一度还穿了军装。因为她要追随自己的丈夫，后者是文化参赞。“体系的奴仆，小主妇，没有才华，永远不会成功的画家。”姐姐在给情人的越洋情书里，都不忘记讥讽妹妹中规中矩的打扮和举止。可能是愤懑吧，自己的妹妹，背叛了早年的誓约。她们曾经一起盟誓，绝对不苟且于虚伪的制度。法国知识分子一向鄙夷公务员，杜拉斯骂得更难听。

本书最动人的一段，是妈妈临终前。这一家，三个姓波伏瓦的女人的和解。

屈指算了一下，老太太去世，是一九六三年的冬天。我是上半年看的《越洋情书》，现在依稀有记忆。情书从一九四七年开始，持续了十七年。也就是说，在一九六三年的时候，西蒙·波伏瓦的越洋恋情，已经走到了绝路。那年她五十五岁，身体衰竭，皮肉松弛，阿尔格伦明言相告分手。青春期，男人的温暖怀抱，这一切，一去不复返。而萨特呢，他永远不乏年轻美艳的追求者。西蒙·波伏瓦的心里，肯定也是滋味复杂吧。与萨特的智力联盟，那种精英联手的快感和自得，一向是她的精神支柱。

为了自由和独立，连正常生活模式都牺牲掉的大女儿，和母亲隔绝疏离了半生的大女儿，以和家庭对立为荣的那头黑羊，现在也到了生命、爱情的灰颓老境。在会议、政务、写作的余暇，她也开始常常往家赶，照顾母亲，给她洗澡。

“她的裸体让我难堪。”姐姐说。昏暗的光线里，她给母亲擦身。她缱绻过的男人、女人，都不少。可是母亲的身体，因为癌症的折磨，已经变形的肉体，让她羞耻。“我来。”妹妹常年画人体素描，对各类肉体都习以为常。更重要的是，在她的心里，对亲情的隔阂感，不像姐姐那么坚固。

母亲痛得辗转难安。医生不给她用吗啡，医生眨眨眼睛，说：“用吗啡和堕胎，有良知的医生绝对不会去做。”姐姐看着母亲的痛状，感到内疚，整整十四年，她都在为堕胎合法而奋斗，医生的话无疑是敌意的。不给母亲用吗啡，当然是教徒医生对一个叛道女人的报复。

姐姐抱着母亲枯槁的身体。她惊讶于自己忽然涌起的温情。一条隐于地下的河流，重新春来涨绿波了。

母亲弥留，姐姐拒绝承认这个事实。她一生强悍，这样的人，不肯正视死亡的终结。很多年后，她也试图闯入萨特的病房。她总是不相信，或者说，不接受她爱的人会离她而去。

母亲死之前说："我为你们感到骄傲。"正是这个母亲，三十多年前，克扣姐妹俩的生活费，为了阻止她们求学。倔强的姐姐，有半年的时间都没钱吃午饭，一直到她自己挣到工资，经济独立。

最后是看似软弱的妹妹，合上母亲的眼睛，收拾后事。

她们各自用自己的方式缅怀。妹妹回到了冰冷的画室，在低温下作画；姐姐是整夜翻着家庭影集，不成眠。她甚至在母亲的葬礼上，流了泪。对父亲，她没有。对扎扎，也没有。她写了一本书，写人的老年状况，写医疗单位的冷血，写母亲的故事。那本书叫《平静的死亡》，那本书里，她称波伏瓦老太太为"妈妈"。之前的《他人的血》《女宾》里，老太太的身份是"我的母亲"，客气、矜持、微讽，冷硬的距离感。书的题词，则是“献给我的妹妹”。她终于承认，“在母亲的肉里，有我的童年，她去了，带走了我的一部分”。这正是她用一生去抵制的——家庭和血缘，及它们对自由意志的牵绊。

真是值得咀嚼，就像萨特对西蒙·波伏瓦的最高评价“她就好比我的伴侣”。伴侣，哈哈，这不正是您二位一生反抗的婚姻框架中的术语吗?

不完全是爱谁多少的问题。我在想，这其中更隐秘的力量，是衰老。托尔斯泰临终前悔罪，萨特弥留时想重返教廷。包括很多人，受到伤害之后，变得温情与柔软。还有，中国人说，人之将死，其言也善。其实是——当一个人衰弱的时候，斗志软化。如果母亲早死二十年，西蒙还在悖逆狂飙期的时候，这个和解也不会达成。

书的序言里，为西蒙的辩解，很善意，然而多余。“自纪德时代以来，对亲人的不近人情，已经成为激进知识分子的一个思潮。”简直是越描越黑，启人疑窦。

她说百合是一种太苍白的花

很多年前我就知道弗吉尼亚·伍尔芙的存在，就像我知道伊甸园神话存在一样——她是一个在不同语境中被反复引述和重复的名字。她带着她明净的额头，尖刀背似的大鼻子，常常出没在唯美派画册里的那种知性的鹅蛋脸，穿行于一系列大不列颠知识分子军团的信笺里。那是一群在二十世纪前三十年度过了他们成熟期的人，也是埋葬了维多利亚社会又试图让它纤细僵化的道德活跃的一代人。达尔文的进化论，让他们失去了相信上帝七天造人的可能性，残忍的爱因斯坦，更在一九〇五年抛出相对论，这下连时间和空间都无法信任了，他们只好转向去精研自己的内心，对自己用尽心思，他们每天要写大量的日记，余时就给另外一些人写无数的信笺。所以这个叫作布卢姆斯伯里团体里的成员，个个都是书信体大师，也就不足为奇了。

作为这个团体的核心成员，伍尔芙被喻作英格兰百合，这个意象很契合她，最美的百合都开在唯美派画册里，圣母的手边，圣婴的笑颜附近，百合本身就是一种精神意味大于肉身美的花，相对于桃花的艳情、牡丹的肉感、玫瑰的甜俗，它简直是禁欲味道的。伍尔芙本人正是如此的精神化：她醉心于朝拜艺术圣地，收集艺术品，但在生活里，她一辈子都穿着粗布工作服，在冬季没有取暖设备的"冰窖"里工作；她视肉欲为肮脏的动物性，却苦心收集别人对她美貌的口头称赞；她择偶时从不关心对方是否有肉体美，或物质背景，甚至性向，却一定要足以与她的智性匹配；像西蒙·波伏瓦一样，她背离并且鄙夷上流阶层的生活方式，却从来没有淡化过骨子里、从属于这个圈子的精英意识。五岁的时候她给姐姐写信，"谢谢你对我仁慈的耐心"，而姐姐的回信是"我多么喜欢你香豌豆色的头发"，后来姐姐成为画家，她却成了作家，审美角度的歧途，其实在早年就足见端倪。

她很像一台配置失衡的电脑，思辨力、逻辑力、想象力，凡是智性系列的操作系统配置都很高，而性欲芯片配置却几乎为零，她并不是敌视性欲，她是压根就不理解这玩意儿，所以她选择的多是同性伴侣，只是因为这样便于操作她无垢的“精神之爱”而已。小时候她同父异母的哥哥把她抱在窗台上，扒开她的私处迎光看着；长大了他继续用拥抱、接吻等临界动作猥亵她。这些暧昧的性侵害史，像频频发作的病毒一样，使她本来就已是低配置的性欲芯片几乎瘫痪，直到一九四一年，她投水自杀，用死亡疗法彻底使自己死机了为止。

从九岁那年，她就开始顽强地自我教育，她的营养源只是爸爸的书房和与哥哥交谈的碎片，还有伦敦图书馆。她不眠不休地写作，不舍昼夜地阅读，每写完一部作品，她就要崩溃一次，在崩溃的间歇期她写一些轻量级作品作为松弛动作，余时她写大量的日记用以观察自己的下意识。她此生最大的娱乐是写信，大概有几千封之多。她参加有限的社交活动，也是为了带上捕蝶网为她的小说收集人物和情节标本。她交友恋爱都必须经过文字这个介质，他们必须和她一样是文字的信仰者——我从未见过一个人，像伍尔芙这样，终其一生，从各个方向顽强地与文字发生关系，它们是她的伤口，也是止痛片，是她的宠物，也将她驯养。就像小王子的狐狸一样，“你对你的玫瑰所花费的时间，使得这朵玫瑰，对你变得那么重要”。

可笑的是：这个连自己独自上街买件衣服都会打哆嗦的神经质女人，居然常常被比喻成狼（Wolf）。她要是匹狼，也只是身着狼皮而已，伏在她貌似强势的女权攻势下的勇气，只是一块蓄电池，真正的勇气电源来自她身后的人，小时候是妈妈，未成年时是姐姐，最后这电源的终身接班人是她的丈夫伦纳德。这个女人活在文学史上是个傲然的奇迹，真要移植到你家客厅里，只能是场不折不扣的灾难：她会在做饭时把婚戒丢在猪油里，还会在参加舞会时把衬裙穿反，她的锋利不过是“舌辣”，而不是“根辣”，而她的丈夫伦纳德呢？他曾经在噩梦中把自己的拇指拔脱臼了，这种“噩梦中的畜力”，看似优雅的伍尔芙身上一样有，他们在某些地方是完全对称的。在伍尔芙还很小，无法熟练使用语言暴力的时候，她就有一种阴郁的能力，她一旦震怒，她的兄姐们立刻感到周围气温陡降，头顶飞过一团乌云，恐惧压顶。这两股子畜力，有时是反向的，比如伍尔芙疯病发作的时候，伦纳德就得用自己的畜力去压制她的，在她无恙的时候，这种畜力转而成为一种远景式的呵护，保护着她在生活中的低能，为此他搭上了他的青春、生育权、一根健全的神经。这一切，我想大于一个男人对妻室的爱意，它更是他对她文学天才的保护，对某种绝对事物的信仰，这种纯正的反犬儒气质，才是真正的布卢姆斯伯里精神。

很多艺术家都有自我形象设计癖，并不是他们刻意撒谎，只是他们太热衷于虚构，比如克里斯蒂，她喜欢把自己设计成一个素人作家，以写作打发闲时的闲妇，但是任何人胆敢质疑她的作品，她立刻像母狼一样，从窝里凶悍地扑出去捍卫它们。还有弗里达，她明明是一九〇七年出生，可她在所有的官方履历表上填的都是一九一〇年，那是墨西哥大革命发生的一年，她觉得这有利于把自己塑造成“革命之女”，这种激越鲜亮的背景色，更能映衬她波澜壮阔的政治思想。与她们的耽于自我戏剧化不同，伍尔芙的自我调节恰恰是反向的。她在行文时也是一样，非常淡漠人物的戏剧特征，却很关心她们的精神构造。

一九一七年她认识了新西兰女作家曼斯菲尔德，基于对一种即将出现的新鲜文体——意识流文学的敏感与革新意识，她们彼此投契；又基于同样的原因，她们彼此嫉恨，在交谈甚欢的流沙之下，是伍尔芙比水泥地还结实的顽固势利眼。她是个超级势利眼，但却是一种教养和智性的势利，并不涉及对方的物质背景，这也是她全部的价值观。这种势利眼的证据频频出现在她六卷本的日记里，关于曼斯菲尔德她写道："这女人是个商人的女儿，她穿着像妓女，谈吐像婊子，身上有体味，像一只刚刚卖过淫的麝鼠。"

还好，伍尔芙除了有一根多刺和不忠的舌头、过于精密的头脑、踩了油门就踩不住刹车的想象力之外，还有尚算健全的自省机制，她像一只冰箱里的表，低温、精密、二十四小时不眠不休地自我精确定位。她又在日记里盘点了自己的灵魂，承认自己嫉妒曼斯菲尔德活泼自主、实验性的生活方式，比她本人大得多的异性社交半径。正负加减之后，账面显示的结果是中正的：（曼斯菲尔德）是一只可爱的猫科动物，镇静，疏远，独来独往。

甚至她的发疯也是同样质地的，这种发疯的可怕之处也正在于此：她是在完全清醒的情况下发疯，像是一个人隔着雾气斑驳的玻璃窗，看着屋子里的另外一个自我在发疯，却无法打破窗子把那个自我救出来。想一想，这个热爱阅读的女人，她甚至把不能阅读都当作了她自杀的一个原因，如果她不停地发病，能阅读的只余下自己的疯狂，会把她带到一种怎样的境界？如果她选择放弃这种智性生活，不再写和读，不做任何刺激智性的事，医生说她可以不发疯，但是她"不能写，毋宁死"，谁说放弃生命不是一种爱的方向，选择与卑琐的形而下生活苟且求和，是一种勇气，放弃也是。这才是布卢姆斯伯里精神的骄傲绝尘处。

在那部叫作《时时刻刻》的电影里，伍尔芙一边走上楼梯，一边说“I may have a first sentence”（我可能有第一句话了）。这第一句话就是，戴罗薇夫人说：“我要自己去买花。”自己去——不受他人干涉，她去了花店，她说，百合太苍白了，她不要。伍尔芙，这朵英格兰百合，亦被她自己放弃了：“亲爱的伦纳德，要直面人生，永远直面人生，了解它的真谛，永远的了解，爱它的本质，然后，放弃它。”至此她已经有过两次自杀的经验，她熟练地蹚过浅水，走向河中心，边走边把一块大石头塞进口袋里。我合上眼，耳边是电影里的音乐，它简单地重复，平直地来去，并不太汹涌，像时间，回复往返。

里芬斯塔尔笔记

一、失重。这本书，《里芬斯塔尔笔记》，五百九十九页，五十九万字。很大，很厚，很重。发生的事件，人物，也都很重。里芬斯塔尔，作为希特勒的绯闻情妇、御用导演、纳粹强硬意志的影像执行人，整整半个多世纪里，都被唾弃和咒骂。然而，最关键的是，她对自己罪行的悔意，轻若浮云。这使人们无法宽恕她，她被剥夺了创作的权利。只能在非洲和海底，拍摄深海鱼群、珊瑚和土著，那是唯一能逃离欧洲文明和纳粹受害者声讨的角落。

八十岁时，老太太写了这本自传。作为这样一个被集体仇视的人物，书里有自辩的意图，可以理解。类似的例子数不胜数，陀思妥耶夫斯基的老婆，安娜的自传，里面关于他们夫妻恩爱的段落，很大意义上，是对陀氏家族诋毁她的自卫还击战。托尔斯泰的老婆，出版她的日记，也是想“让人们也听听我的心声”。

这种自辩，它会污染事实吗？让我失重的是：在传记里，里芬斯塔尔在对她引发的所有事件里，都是无辜的。十八岁时，一个男人为她自杀，割断了动脉，血流满地。后来她和导演范克、演员特伦克尔三角恋，范克跳下冰冷的河水自杀。再后来，纳粹的宣传部长戈培尔向她下跪示爱。这类很“重”的段子密布在她的生平里。而在她的回忆里，这一切好像全是对方在单向施力，她只是一个静物而已。

当然，她很美，且才华过人，这些都是重量级的筹码。但是，用它兑换事业成功的交易过程，她轻描淡写。恶意揣测是：她在为自己免责。善意的答案是：她是一个事业狂人，写到雪山、星空、拍摄海底照片的段落，字句一下密集和深情起来。她会抓住手边的一切外援，只要他们帮她完成“美”。

二、我执。绝对的个人意志，那是一架高速运作的机器。马达强劲，不容辩驳。不顺手的题材，她不拍。单恋她的，哪怕对方为她割脉跳河，也只是一口痰、一坨屎、阴沟里的泥，她从不掩饰对他们的贱视。反之，击中她的，她厚颜接近。她的第一个男人，或是拍高山片的范克，还有希特勒。

她可以热烈地自荐。

三、耽美。拍《意志的胜利》时，希特勒要求她把国防军的镜头放在片头，她一下就哭了，因为那样会破坏电影的结构。拍《奥林匹亚》时，戈培尔禁止她把录音机放在希特勒近处，这样就不能获得最清晰的音效，她急得泪流满面。拍党内集会，只有漂亮的将军太太才能入镜头。这在别人做来，肯定是矫揉造作，或是神经质。在她，太匹配了。她是个耽美狂人。为了拍电影她可以玩命，骨折没有痊愈，连滑雪都没学会，就上雪山了。什么都不能伤害“美”，什么都得为“美”让路。可惜，“美”也没有搭救她的后半生。

四、导演。她的传记，怎么读都像是一个导演的回忆录，而不像个风流荡妇。老是想起塔可夫斯基那本札记，里面有相通的气息。对事业的追求，拍摄过程中的艰难，津津乐道的技术攻克，集体工作时的迷醉氛围等等。她是一个颠倒众生的美女，可是大部分时间，她都穿着蒙尘的工作服，脖子上挂满了成卷的胶片。

屈从于希特勒的强力意志，是她的错吗？罗塞里尼、卡拉扬和海德格尔，都被原谅了。历史的浪潮一重重退却，唯独她，在仇视的海滩上饱经曝晒。

记住，她是一个女导演。这个工作，需要资金铺垫、技术支持，它比写作、绘画等单人项目难度要高得多。

五、留痕。前一阵子看到有人写张爱玲。“当愤青在高喊爱国口号时，她在干吗？不就是陪汉奸睡觉吗？”

我当然支持爱国青年，可是，当那些高喊口号的作品都飞烟逐尘时，大家在热炒什么呢，不就是那个陪汉奸睡觉的人吗？

七月在成都时，安公子告诉我，甚至，现在的纪录片里，都有很多人还在采用里芬斯塔尔的机位和手法。

同样的例子，多了去了。奥斯丁的市井之作，也打败了英法战争小说；托尔斯泰的《战争与和平》里，最动人的，也还是和平那一半。

六、力量。她的审美：高山、雪原、烈日、深海、健壮的青年人。当有人问里芬斯塔尔为什么只拍那些年轻、美丽、健壮的努巴人，却从不拍老人与孩子的时候，她这样回答：“对我来说，作为被摄体，那些人没有魅力。”她是个纪录片天才，沉醉于宏大的场面，竞技的血脉偾张，党卫军狂热的集会。

中国的学院教授们，甚至不敢把《意志的胜利》在课堂上全部放完，他们说：“它的力量太强大了，我担心我的学生如果把片子看完，就会变成真正的纳粹。”

她的第一个男人，用暴力夺去她的童贞，事后给她二十马克。她的丈夫，用一张彪悍的刀疤脸，蛮横地破门而入，征服了她。她写到这两次邂逅时，都用了“恐惧”这个词。对希特勒的屈服里，是否有类似的快感？

七、政治。毋庸置疑，希特勒是个极具鼓动力的人。一直到自杀前一刻，党卫军都愿意为他卖命，做自杀性飞行抵御敌军飞机，顽抗红军。戈培尔写给儿子的告别信，都是带着“英雄主义的豪情”。这种激情，是精神鸦片，又是集体催眠。卡拉扬、海德格尔、里芬斯塔尔，不过是其中的沧海一粟。真他妈古怪，冷血民族，往往盛产狂人，日本也是。

八、战后。曾经营救过的朋友，冲她喊“纳粹婊子”，天寒地冻时赶她出门；老情人恳请她以后勿要来找他；搭档出卖她；丈夫和她离婚；由她监管的两个侄子，被弟媳带走。她被软禁了四年，其间没有看见过一张笑脸。最奢侈的事：有一次，用救济金里的六马克，她吃了一顿烤鸭。

就因为她为希特勒拍过两部电影，下半生，她都得为这半步行差踏错买单。

数十年里，她都在忙着打官司，为自己取得了“非纳粹证明”。但是，所有的电影商，仍然拒绝和这个臭名昭著的女导演合作。她的财产、创作生涯、自由，都被冻结了。

九、已经看到下半本了。这是我真正好奇的。一个人，怎样在被声讨之后，代谢掉那种被弄脏的感觉，继续自己丰富的一生。

十、非洲。有一天夜里，她看一本书，彻夜不忍释卷，那是海明威的《非洲的青山》。之后，她翻看了无数本非洲画册，对这片土地的爱，迅速升温。她一向行动力健旺，立刻筹划去非洲。

海明威，硬汉代言人，狩猎、拳击、斗牛爱好者。里芬斯塔尔，铁血女人，他们是否有质地相通处？

很多年前，我也读过那部小说。我看的那个译本，叫《非洲山青青》，只记得一句话：“他看着马群疾奔而过，看着小鸟，渴望懂得他们的语言……旅途中，将不再有雨。”

十一、柔软。后两百页的非洲纪行，温暖静好，很好看。我舒口气，这个女人，她是有体温的。

十二、技术。他们说她“只触及技术，不能抵达灵魂”。可是，我看到她晚年的作品，太美了，那些拙朴动人的土著，冷暖流交汇处的深海鱼群，峭拔如割的雪山。请原谅，这些发自大脑皮层的审美愉悦，比那些什么“暴力美学”“迷人的法西斯”等名词组，离我更近些。

七十二岁时，她瞒报了二十岁年龄，考了潜水执照，拍了许多深海鱼群，又用了二十年时间，把它剪辑成一个纪录短片。我没看，但我的朋友旗旗说，在一个深夜，她看了两遍，还准备寄给妈妈看。

十三、视角。我很少使用搜索引擎，这次好奇地去查了下，大多数关于她的文章，我都看不下去，那些愤怒的大词，技术分析。说什么，仰角拍摄是为了突出对希特勒的神化，抹杀个人的场景，是法西斯审美，看得我一头雾水。还是“那个纳粹婊子”比较通俗易懂。

规律是：稍微善意点的，都是女人笔下的；同情她的，多是女权分子。那些铁板一块的刻毒评论，几乎全是男人写的。是巧合吗？

村上春树的大象与风

小张让我写一下村上春树，说：“你知道啦，就是谈一下日本人际中常见的，人与人的关系……反正你知道啦。”——其实我根本不很知道，挂电话以后，我就在努力揣摩她的意指。

我想不通她为什么选村上呢，不要说谷崎和川端康成，就是渡边淳一都比他更日本，村上春树说起来算是个很西化的日本小说家，他最喜欢菲茨杰拉德，收集了几千张爵士唱片，开过酒吧，还翻译过保罗·奥斯特的作品，并且有好几年都是寓居在美国，村上要是知道我准备阐述他的日本气质，肯定要气疯了。

那种和式爱情的气息，日本气质……说好听点叫距离，说难听点，叫疏离。我也不知道该怎么形容那种东西，上次李博士从日本回来，大家一起喝咖啡，博士说：“日本人际很清淡，就是每个人都不会给别人添麻烦。在地铁上，人和人之间都不会对视的。因为平时太压抑了，所以一旦爆发就很变态和血腥。”我问他有没有随身带全家福照片，他说太太不给外人看，我说你太太是日本人吧，他很吃惊，说你怎么知道，我说很明显嘛。

日本人一向是表情节制，用词客套，唯恐和别人建立很严重的关系。注意力节省下来的后果是，对季节天候，还有细节，都非常敏感，你看他们的小说，里面常常有非常漂亮的、散文化的段落，而且，都不是对人，而是对物，对景。我想到一个词，可以形容日本人的爱情或人际方式，就是“淡爱”。

但是我总觉得，虽然也是淡的，可是村上小说里的和式气息，和渡边淳一、吉本芭娜娜、川上弘美，都不太一样。

我在想，在日本的村上，却和中国的“八〇后”颇有些相通处——他是独生子，在那个年代的日本，这是很少见的。小时候他总是因此而自卑，觉得自己是残缺的，找不到归属。他笔下的人物也多背景稀薄，关系网稀疏，无父无母，无兄弟姐妹，家境尚可，和现实没有惨烈的摩擦和冲突，性格有点接近时下的宅男宅女。独住一间宿舍，以最小密度的家具和最大密度的书刊为伴，起床，散步，在阳光充足的露台上吸烟、看书、听唱片，用咖啡机做杯热咖啡，中饭吃浇了番茄酱的意粉，养一只宠物猫。唯一的朋友，也是情侣、爱人、性伙伴。村上笔下最甜美的爱情，大概就是自传体的《芝士蛋糕型的我的幸福》。“我”和老婆穷得只能租两条铁路夹住的一个三角地带，平日喧闹不堪，铁路工人罢工的时候，我们就抱着猫咪在铁轨上晒太阳，那是我们最幸福的时候……向阳的村上作品里，我最喜欢这个。

家里又给老公弄乱了，我只找到一本盗版老村上，还是赖明珠版的。读了一半之后，发现村上最喜欢的意象，是风。《听风的歌》里，老鼠是写小说的，他说他去过一个古墓，耳边是掠过树林的大大的风声，把一切都包裹起来，蝉啊，蜘蛛啊，青蛙啊，“我就是想写小说，写那个把一切都包裹起来流向太空的风声”。

半夜，窗外有隐隐的车声，我在想是不是那天T和我说的飙车。突然我思路一转，想起来，村上在《听风的歌》之后几十年，真的写了一篇风的小说，就是我最喜欢的，还专门做了笔记的《天天移动的肾形石》。里面有一个叫贵理惠的女人，这个女人自我黏稠，从不舍得把自己深入日常生活的深处，她爱一个叫淳平的男人，然后她更需要一个精神上的巨大活动空间。她带着空白、没有未来的无为性，无意而来，降落到他的生活中。她的身份是空白的，社会坐标是空白的，历史是空白的，他不知道她的住处、职业、去向，只知道做爱时冰凉的肌肤触感，耳语时的呵气温暖，对话时的机灵跳脱，你可以在一个人面前，完全打开自己的快感。只记得这些……当然，最后这个女人还是失踪了，她要奔赴她的事业，就是在高处，两幢高楼间，搭上钢丝，解开安全缆，这个世界，“只剩下我和风”。淳平再也打不通她的电话了。

每当我被孩子和家务碾压得要崩溃，我就会看看窗外，做五分钟失踪的贵理惠，想象自己是在一条钢丝上走，闭着眼睛，御风而行。然后睁开眼睛，该干吗干吗。

让我特别难忘的还有《象的失踪》，这只象，我一直把它看成村上春树的图腾，大概村上骨子里就想做那么一只大大的、孤行的，又很任性的动物，有自成一体的思想和价值观，追求灵魂的独立和自由，哪天对笼子和栅栏感觉不爽了，就招呼也不打地失踪了。

给我一个用力的人生吧

这样说吧,《老师的提包》已经是我忍受日式疏离的极限了。“我”热恋着“老师”,却始终无法开口道出真情,因为在日本人的文化体系里,非暧昧无以抒情,什么都不能落到清晰的实处,也不能搞得太严重。二百四十二页的书里,有两百页以上都在揣摩、暗示、猜测、对峙,心潮澎湃的午夜,不敌恭谨相对的白日,再百转千回的心思,也得在日光下灰飞烟灭。进入对方的亲密半径,好像比打一场“二战”还难,既无肉欲的浮沫,也无意念的浓汤。角色在说话时都是“大概是这样的吧”“这样也可以吧”,连肯定句都不敢用似的。

《老师的提包》里的钝感力,还算是为了自卫,怕再遭遇情伤。到了《一个人的好天气》,这种清冷走得更远了,人与人的冷淡,不用力,稀薄的人际让我不能呼吸。单身妈妈养大的女儿，只会淡淡地说“你好老态啊”，对对方的去留、动向，甚至改嫁，都毫不关心，穿了露肩的吊带衫，在七十岁的老太太面前，意图打击她的回春，拎起一只猫扔出去：“你什么时候死啊？”哈哈，这本书倒是有真实的青春期质感，动人处，也在此吧。我没有任何道德高度的指摘，只是天性不喜轻的、淡的口感而已。《她比烟花寂寞》里的徐佐子，痛哭流涕地对男友说：“当我死的时候，我希望丈夫子女在我身边，希望有人争我的遗产，我希望我的芝麻绿豆宝石戒指都有孙女儿爱不释手，我希望孙儿在结婚时和我商量。我希望我与夫家所有人不和，不停地吵嘴。我希望做个幸福的女人，请你帮助我。”她的潜台词是：“给我一个喧哗热闹用力的人生吧！”——这正是我要说的。

日式冷淡的平衡点，在于物趣和礼节，他们对人既然那么舍不得花力气，自然节省下很多注意力。据说日本职员入公司的前几个月，都要做礼仪培训，包括鞠躬的角度都大有考究处。可是，那是一种量化的礼貌，没有体温的，它不是人对人的用心。《老师的提包》里，“老师”每每喜欢在夜深把玩一些旧物，什么废电池啊，旅行中收集来的小茶壶啊，里面凝结着过往的甘苦记忆，他爱过的师母，就像琥珀一样被防腐恒温地冻结在里面了，与之对称的，《一个人的好天气》里，知寿总是在独处时，玩味着她搜罗来的琐碎物什，前男友的陈烟、老太太的俄罗斯娃娃，这些浓情蜜意的对立面是，在老师能够与师母共同生活的时候，在知寿可以与男友共处时，他们是不愿意直接交流和言爱的。

自我状态黏稠的后果，自然是对他人的离心力、疏离。这种东西在欧美人的文化里，被处理成一种怀疑论和哲思，这里面尚有思辨的力度和快感，对我来说，要刺激好玩得多。我去图书馆借书，如果借的是一本日本书，比如新井一二三，或是柳美里，就至少得搭配一本苏俄文学。因为日本人的东西，又轻又省脑，感觉还有半个脑在休眠，就像你吃焦糖布丁或是一包薯条的时候，一定得另外配主餐。

我常常带皮皮去坐摇摇车，有家小店，女主人总是里外忙碌，不是给摇摇车缝个布垫子，就是随着日影把它拖移走，这样小孩子就可以不冻屁股，而且晒到太阳。我喜欢这样全心、用力、认真活着的人。有次我看见中央台采访一个女芭蕾演员，十五岁就获过国际金奖的一个女孩子，她说：“芭蕾是个非常残酷的艺术，如果你一个星期不练功，往往连基本动作都会完成不了，而你每天汗流浃背八小时的最好结果，也就是不退步而已。”

说实话吧，活到我这把年纪，知道所谓生活也是门残酷的艺术，它好比按揭贷款，或是逆水行舟，除非你每时每刻都用正数的热情去填补它，否则它给你的账单一定是负的。聪明人，是可以看穿，啊，生活他妈的原来是入不敷出的骗局，书本是虚妄的，社会是灰暗的，男人是不靠谱的，还是袖手止步比较合算。可是，不消耗力比多的人生，是多么环保却无味啊，看破红尘爱红尘，看穿书本爱书本，看透男人爱男人。红尘是脏的，书本可以还你净土，书本是苍白的，红尘可以补足你颜色和五味，这两样东西还没绞杀完你的生命力吗？没事，那还有男人呢。

那个习舞的女孩子还说：在我的同学里，我也不是天赋最好的，可是他们都在中途放弃了……其实各行各业都是这个通理，跑完全程的，往往是才赋中上而不是顶尖的人。比较下萨冈和杜拉斯、麦卡勒斯和厄普代克就知道，天才总是创作寿命很短，而技术性选手却可以长青。天才是富翁的儿子，生来拥有巨富；手艺匠是打工皇帝，寸土都要靠自己的汗水。天才令世界增辉，而苦练技艺的手艺人，更让我们看到，即使是天赋庸常的人，也可以向上帝的不公挑战。如果说，我对杜拉斯这个暴虐酗酒的家伙多少还有点好感，也是因为她对所爱之物的偏执用力，重拳出击。在龟兔赛跑的实例里，谁先到达终点是次要的，最重要的是，乌龟肯定比兔子活得充实，因为它有目标，有干劲，有一点点通过努力逼近目的地的快感。哎，还是做一只笨蛋乌龟比较开心。

想起韦尔乔，稀薄的

我常常想起一些人。没有“想念”那么黏，没有“想望”那么热，只是稀薄地“想起”。

比如韦尔乔。

我在电话里问木木，我说你知道韦尔乔吗？她说：“好熟悉的名字……他是谁？”——木木是美术老师。

韦尔乔，是个内科医生，值夜班的时候，查房的间隙，他在处方笺上，画了好多漫画。有一些和小说家合作，做了插图，另外一些，成了哲理漫画。我想他的存在是稀薄的，全中国的内科医生岂止千万，而他作为插画家的那面，连职业人士都只是依稀耳闻。

所谓稀薄，也是因为事件密度太低。我去网上搜了下，他的书，几乎都缺货。而他本人，去年因肺癌去世，享年四十三岁。所有的信息更新途径，都堵死了，我既不可能看到“韦尔乔访谈录”，也没有机会更细致了解此人，他的生平，估计也不会超过年表和档案。

我没有看过韦尔乔独立出版的作品。而我每次想起皮皮的短篇集，还有她的散文集，韦尔乔这个名字，就“啪”地亮了。那两本书都是作家出版社的，不超过三种颜色的装帧，排版很松，老实的宋体字，篇头还有尾部，大块地留白。

那是留给韦尔乔的。他的插图，都那么空旷。如果你看了冷冰川，回头再看韦尔乔，真是从亚热带空降到寒带。冷冰川的画，很喧哗，热带花草、蜷曲的女人、妩媚的猫、硕大的鸟笼，热乎乎的欲，很多的活物和事件……真是密不透风啊。

韦尔乔不是，他的画，通常都很稀薄，人物没有脸，更勿论五官，连四肢三围都是敷衍。他拿一个长袍加个头部，就对付完了“人物”这个叙事元素。他的画基本都是单人，有时只是局部，一只手，一只眼睛，甚至一滴眼泪。

韦尔乔在给友人的信中述说了他对生命的感受：“我在火柴盒大小的卡片上画画。我画了很多穿长衫的人。他们或在一颓寺前吹箫；或在月色溶溶的林间漫步；或于高崖上独立，仰观天上流云，俯视山下错落的屋宇；或携好友二三人，在广阔的田野上，漫无目的地走。他们什么都可以想，什么都可以不想；什么都可以做，又什么都可以不做，便觉得是个自由的人了……不必在乎有眼睛在盯你，有指头在戳你，有时间在提醒你。那身子，是属于你的。你只消把自己当作一阵风，一块石，一片顺水漂流的叶子，一只在石缝间爬行的甲虫，只是别意识到，你是个——人。我在小画里'解放'了上千个'长衫'。到如今，有谁来救我呢？"

他是个东北男人，矮小，沉默，黑皮肤，少言语，几乎没有朋友。他让我想起这块土地上盛产的大土豆，那么结实而饱满的孤独。

我甚至不能想象，如果皮皮的长篇《所谓先生》，还有《比如女人》里面配他的插图，那太可怕了。那些长篇里，全是人，男人、女人、小人、奸人，还有那么多心，伤心、痛心、开心、关上的心、用坏的心。把韦尔乔的画，插在那种大红大绿的热闹里，肯定像圣诞树上栖着一只寒鸦。

而我始终不能忘记皮皮的短篇和散文，虽然它们几乎没有情节。有一个短篇，是写一个爱上儿媳妇的老公公，他读着儿媳的长信，平行的事件是他的儿媳被情人杀了，情人带她去了桦树林，纷纷扬扬的雪花，积在他的手臂上，厚厚一层。他的手一直掐住她的脖子，她死了。还有一个女人，养了一只猫，事实上她根本不爱这只猫，它简直让她畏惧。然而她一直没法摆脱它。还有她写拉萨的狗，它们根本不会躲人，非常理直气壮。她又说她爱上一个没有去过的城市，那个城市叫青岛。

不说了，不说了。这算什么故事啊。有一阵子蒙娜丽莎被现代派恶搞，涂了胡子，穿了比基尼，又提了菜篮，还蹬了自行车，有一种恶搞非常有创意，就是把蒙娜丽莎换上动物脸，分别叫作蒙娜猫莎、蒙娜蛙莎。

我如果试图转述那些短篇，那我就是蒙娜猪莎。

最后一句，谷歌全拼输入真是聪明啊，它居然能打出“韦尔奇”这个单词，比“韦尔乔”，只差一点点。

吃霉面包的猫，村上气质和故事性

《雨天炎天》，村上春树的希腊及土耳其游记。他的重心一向在小说，再说游记体是个难伺候的文体。绘景吧，不可能超越视觉符号，比如照片摄像什么；叙事吧，也不过是些浅浅的人事留痕；议论吧，动辄形而上反刍，实在太让人倒胃口了。但是村上的游记，里面有种奇妙的、我把它称为“故事性”的玩意儿，让人读得有点趣味。

发现村上真的是个物质感很浓重的人。他几乎每到一处，都会特别记下那里的食物水准、住宿环境，还有服务质量等等。他一九九七年的中国日记里，是难吃的、油腻的东北菜。但是，是什么让他的这些琐记，区别开那些导游指南的呢？就是我说的“故事性”，也可以称之为村上气质。

所谓的故事性是：有一次，京城的几个文化人聚餐，都是老饕，长于庖厨。于是约定各做一个菜，凑一桌。大家准备的都是鸡鸭鱼肉，唯独一个叫王世襄的人，只提了一捆葱姗姗而至。最后，冠盖珍馐的，就是这道焖葱。

一捆葱，是生活；烤鸭肚里一根葱，是游记；一盘美味焖葱，那就是故事。

比如，在卡胡索卡里贝亚。村上吃的是发霉面包和酸豆汤，苦不堪言。席间来了一只猫，然后，村上的故事，就来了。

那只猫，津津有味地吃着豆汤泡开的霉面包。村上说："这种事实在让人难以相信，大千世界还有能靠吃豆汤和霉面包过活的猫。我养的猫，连鱼饭都不肯吃，世界真大，对于生长在这里的猫，食物大概就是发霉的面包和放醋的豆汤。猫不知道，不知道翻过几座山之后就有所谓猫食粮存在，还有分为鲣鱼味、牛排味和鸡肉味的猫食罐头，不知道有的猫死于运动不足和营养过剩，不知道发霉面包绝对不该是猫吃的东西。那是这里的猫绝对想象不到的，当然我不是猫，这种日子我一天也不要熬。"

旅程结束时，这只猫又出场了："怀恋那个地方，在那里，人们虽然贫穷，但是活得安静而有高密度的信念。那里的食物，简单但充满实感，连猫也有滋有味地吃着霉面包，那是充满无可怀疑的信念的现实世界，就像对那只猫来说，发霉的面包也是最现实的东西。”

之前我一直明白，阿索斯啊，是个宗教圣地嘛，所谓的“希腊僧侣自治共和国”。上面有二十个大修道院，许多小修道院，两千个人在那里潜心修行。晨钟暮鼓，黄卷青灯，诵经祈祷，自耕自种，没有水，没有电，只有一辆公共汽车。最搞笑的是，所有的动物，都是雄性。女人不许上岛，公牛、公猪全都给阉掉。据说是旧习，以利于清修。人人都从早到晚地祈祷，做日课，种地，读经书。那里充满陈规陋习，如果村上不能在日落前赶到一家修道院，就得与荒野狼同宿，一家修道院不能住两天，这个小岛遵循的都是古制。它们使用的是拜占庭时间，从太阳落山起，算是新的一天。午夜即是他们的凌晨。

…………

是的，我明白这些，一个又一个信息球，嗖嗖地，从我上空飞过去了，但是一直到这只猫，我才接到了球。这只猫使我讪笑，笑完之后，还让我明白了那种宗教感。之前那些球，随便一个写游记的人，都能扔，但是像猫的这种球，只有村上才扔得出来。

《魔种》笔记——一个怀疑论者的乌托邦

一、局外人。威利是个印裔，年轻时，留学英国，写过一本不畅销的书，之后去了非洲，吃了老婆十八年软饭，逃避生存压力的正面效应是，他和现实毫无摩擦之痛，负面的后果是，他过的完全是别人的生活。之后他回到柏林，妹妹收养了他六个月。这是他甘之如饴的甜美生活，其原理有点雷同于依附他老婆，这次是寄寓于妹妹的公寓、妹妹的钱、妹妹的道理、妹妹的思想。真的，在他决定参加革命之前，他从思想到身体，都是寄生。一切都是外在经验在施压于他，终于有一天，这个局外人也厌倦了，决定主动和生活发生关系了。

二、革命。为了获得有意义的生活，不再对周遭人的苦难熟视无睹，威利跑到种族压迫严重的印度去了，穿了牛皮拖鞋，卸下中产身份，从知性体系里游离出来，打游击去了。

他是想给自己一个乌托邦，一个田园牧歌和绿色和平混交的自由民主社会。途中遭遇的是重重幻灭，革命分子不是被乡间无聊生活逼疯的小知识分子，就是仇视社会的边缘人，或是心怀叵测的野心家。自由其实也是专制这枚硬币的另外一面，威利被抓到监狱以后发现，这里的生活和游击队生涯几乎是重合的，操练，洗脑，对个人心智的碾压。

三、瑜伽。威利从柏林来到印度，陌生的一切张开巨口，将他吞没，连骨头都不吐。破旧的出租车、秽物遍地的旅馆、炽热的铁皮火车、蹲坑、泥地、未净化的饮用水——第三世界的一切。他只好让自己做精神瑜伽，所谓瑜伽，就是用意念传达控制令给大脑，让一切变得可以忍受。在全新的经验之前，他强迫自己把理解力不断升级，以求适应。后来他去打游击，经历了第一次穿拖鞋行军、第一次不洗澡就宿营、第一次施暴，直到第一次杀人。“六个月，只需六个月”，这是他的领导告诉他的，“然后你就会觉得杀人是理直气壮、再自然不过的”。

四、时间。威利无法忍受的是时间的低密度流失，他到哪里都觉得无所事事、浪费生命。在英国，他学的是对灵魂毫无裨益的学科，浑浑噩噩，像个梦游人。在非洲，他处于半隐居状态，几乎与世隔绝。在那种被简化的生活中，人无须再操练自己的头脑。到印度打游击，领导安排他去糖厂做工，去丛林放哨，也就是把全部的时间白白浪费在机械的体力劳动或茫然的等待中。他总是想让时间加重分量，最后不是招安的赏金，而是干革命的无聊感，让他自首了。

也许生活就是一辆雪灾里超载的公交车，你以为人满为患，结果你挤上车了；你以为你肯定立不住脚，结果你金鸡独立地站了好几站路；你以为你痛苦得会即时死掉，结果你被壅塞的人群摇晃睡着了——威利的麻烦是，被那种精神瑜伽催眠时，他一直在反抗，有部分心智始终是苏醒地痛苦着，无法像别人一样麻木，又跳不了车。

五、床。威利在丛林里，过起了游击生涯。每当他回首往事，他总是喜欢在记忆里复制他这一生睡过的床——如果是女人也罢了，床是什么呢？这个意象出现了几次，每次我都在琢磨这到底有何深意。个人经验的贫瘠，让我读书的收成很受影响。是的，间接经验其实也是种子，必须在直接经验的母体上发芽。那天吃饭时周老师说我“过于感性和主观了”，周老师快奔五了，到底姜是老的辣，因为我的表达常常给人错觉，以为我是个理性的人，其实我总是先模糊地意会出一种感觉，然后去找证据支撑这个论点，理性的人却是由论据推出论点。

再说回床吧，就好像葛朗台在灯下数金币，或是书痴整理书单，威利的回忆，其实是想触摸一种坚实的存在感。

还可以把床理解成一个态势。它，悬浮于生活之上，安居，休憩，最小摩擦系数的接地方式。属于床上的时间，都是柔软的、疏离的、私密的。用威利的话说："如果我是个有宗教信仰的人，那么可以说是一种精神生活的修复。"

如果把这本小说和一些革命家的回忆录对照看，就会发现，它没有强力介入的汗臭，没有浓稠的事件密度，没有直觉的行动，只有散漫掠过眼前的人事，那是一个坐在床上，捂着精神生活的被子远眺革命的人。

六、流浪。奈保尔到底是个伟大的游记体（游记体，不是游记，就像"印度三部曲"和《抵达之谜》那种写法）作家。无法压缩的旁观距离感，是他的技术特征。同样是记述流浪生涯，你再看奥威尔的《巴黎伦敦落魄记》，质地就完全不同，那是一个在用脚步丈量世界的人，里面的火柴价格，一张床位的租金，精确得堪比社会调查报告，而叙述者本人，只有一双眼睛，根本就没有内心的细腻反刍。而《魔种》是写实小说，却没有现实感，它的流浪，也是室内的，只是从一个心灵的房间，步入另外一个。

七、新人。书里有发光的片段啊。每次的新生活，总有层糖衣。打游击之前，接头人告诉威利，你可以带上披巾和撒吐。撒吐是一种干粮，用小米或面粉晒干制成，在丛林里可以和水吞食。威利想，啊，这仪式真优美，很兴奋。从牢里被解救出来，罗杰给威利喝了杯葡萄酒，威利觉得无比甘醇。他还非常喜欢罗杰家床头的小水晶球和带着海水气息的浅蓝窗帘。书的结尾，五十岁的威利，去上建筑课了，重新捡拾起他年轻时不屑的那种生活，并且觉得乐在其中了。这种情绪的峰值喜悦，就好比你每次准备野游、准备偷情、准备去打拼新天地时那种雀跃，为了得到重获自由的畅快，或是舌尖瞬间滑过的甜美滋味，你就得像威利一样，先在丛林里被烈日炙烤上七年，没有肉，没有洁净水源，甚至没有食盐。就好像打过石膏的人，才分外理解健步如飞的轻盈和喜悦。经过减法和加法，体内就生出了一个新人。

八、徒劳。写完这本书，奈保尔就封笔了。年轻时他立志要用文字取代宗教，去救赎人类，消灭种族压迫，可是，他用自己的一生，验证了文字的徒劳。我发现我喜欢的作家，都是无出路的，因为他们多少还有点诚实。文学能有什么用呢？正如奈保尔在《论作家》中引用毛姆的话所言：“一个真实的人至死都是无名和孤寂的。他成了一个寂静无声的鬼魂，既不是书籍的作者，也不是那个过日子的人。在两个傀儡之间，他露出讽刺性的超然微笑。”

最好玩的是在结尾处，奈保尔抛出的那个段子。一个黑人实业家，终身理想就是消灭种族差异，但他的实践方式非常务实，就是不停地找白种女人性交，经过多次血统提纯，终于，生了个纯白的孙子。目标明晰，行动力健旺，撇除多余的心智挣扎。奈保尔说，这就是抵御生活的、无敌的乐观精神——这本书，简直是对精神生活的反讽。

魔神笔记——『A』与『B』

有人好心提醒我，要注意奈保尔的背景，由此可以看出《魔种》的主题是身份认同和理想主义。

其实我做过奈保尔的笔记，好几次。我觉得如果我再提及什么身份认同和理想主义，对我来说，一是信息重复；二是这个词可以拿来归类所有的殖民地作家，库切、莱辛、奈保尔，都没问题；三是与《魔种》同时并行阅读的，还有契诃夫的短篇小说集和奥斯特的《在地图结束的地方》，这后两本书里，一样有理想主义者的幻灭和失根挫折。而契诃夫和奥斯特，都是原住民。可见，一些失落感，并不完全是殖民地背景造成的。

我所定义的“怀疑论者”，就是那种“既不能在此，也不能在彼”的人。他的思考力太强大，像信心粉碎机，使他没有办法直觉地行事，又不能坚信某一种人生观，无论是在具象的，还是抽象的层面上，他都找不到立足点。如果真要说身份认同，我也是把它理解成这个意义上的，而不是国籍。

比如契诃夫的《我的一生》，也可以说是个关于“身份认同”的故事。“我”是一个贵族，建筑师的儿子，但是“我”很质疑大家默认的这种生活方式。“我”生活的这个小城，就是俄国小说里常常写到的“外省”，也就是我们中国人说的乡下了。一年有八个月的苦寒秋冬，房子全是一个没有审美力的建筑师设计的，千篇一律，趣味平庸，什么娱乐生活都没有，干净的马路也只有一条。官僚乌烟瘴气，男人聚众喝酒，女人未老先衰，唯一的娱乐是把空罐头绑在狗尾巴上，狗受惊过度，就满街疯跑。大家狂笑不止。

所有的人也就这么过了，唯独“我”，要寻求生命的意义。“我”觉得在办公桌前抄抄写写的一生，是机械重复，不涉及心智的活动，所以和建筑师父亲断交，跑去做了铁路工人，又做了油漆匠，最后做了包工头。可是又怎么样呢？时代的昏聩，个人怎么抵抗得了。最后“我”也成了他年轻时最厌恶的那种人，颓废、阴森、随俗。

而这样的句子，每每让我想哭：“一大清早，太阳刚出，我就起床了，我们的大街上，一个人影都没有。我的脚步孤零零，低沉地响着，沾着露水的白杨，使空气中充满柔和的清香。我喜爱这苍翠的树木，晴朗而宁静的早晨，教堂里当当的钟声，我不喜欢那些乏味的人。”“我搂住她，吻她，她帽子上的别针把我的脸划出了血痕。”契诃夫真是太高明了，他不说我多么爱这个姑娘，他不说我狂喜地沉醉在爱情中，他不说我吻她很久很用力，他只说：“她帽子上的别针把我的脸划出了血痕。”

《魔种》里，奈保尔这样写革命生涯中的威利：“他住在一座长房子里，房间里有一张老式四柱床，他也学村民一样，把东西藏在茅屋顶上，泥土地面给牛粪抛光过，非常的光滑，这里已经变成了他的家，每次当他想牢牢抓紧生命线的时候，他就去回想他一生中睡过的床，这个木床是新的一项。”

再去想想库切在大英博物馆里一天天晃悠。“精神生活，他暗自想，我们为之献身的是否就是这个？我以及在大英博物馆深处的这些孤独的流浪者，有一天我们会得到报答吗？我们的孤独感会消失吗，还是说精神生活就是它本身的报答？”

无人的清晨、激情的狂吻、床、博物馆，其实都是一类事物，生命的瞬间美感，身份归属，我们乐于去栖居的、诗意的所在。

我的小屋面北，又在风口，夜里那么冷，我一边读就一边喝口热水，然而心里却觉得很幸福。隔着一百多年，或是半个地球，还有那么个人，他和你一样，心里有很多的疑惑、阴影、黑暗物质。有时他绝望得快要被溺毙，就起身写几行字，那些字，就是他呼吸的瞬间，他当然不能化解你的虚无，他根本无力自救，那又怎么样，契诃夫、奈保尔、库切，所有的怀疑论者，他们的结局都是可以预料的。奈保尔的封笔，契诃夫至死都没有和他爱了一生的女人结婚，而库切则说："琢磨出什么是该做的事情并不难。他用不着想太长的时间就能知道该做的事情是什么。如果愿意，他能够以精确到几乎没有任何错误的程度去做该做的事情。他踌躇的是这个问题，他是不是能够在做该做的事情的同时继续做个诗人。该做的事情是乏味的。所以它处在了两难的境地。"

《魔种》里只有一个人得到了"圆满"，一个非洲外交官，他仅有的希望就是有个白色的孙辈，牵着他/她在伦敦若无其事地散步。为此，他和不同国籍的女人上床，有了很多不同肤色的孩子。故事结尾，其夙愿终于在混血儿子的婚礼上得以实现。《我的一生》里，将军的侍从也积极进取，放高利贷，勾搭奸商，成了新时代的投机商和暴发户，摆脱了自己低下的出身。

这是两种人，A："我""威利"，是务虚的、追求生命意义的、思虑的、理想主义的、两难的、分裂的loser（失败者）。B："外交官"和"将军的侍从"，是务实的、追求具体结果的、现实主义的、浑然的、方向感清晰的成功者。

A或是B，没有好不好，只有是不是。A和B，他们对望着，对峙着，不屑着，并继续在各自的歧路上前行着。

瞬间之旅

想了一下，还是替唐颖做个笔记吧，最早看的是《美国来的妻子》，一个上海女人，借助丈夫的海外关系，出了国，扎了根，叶和枝都开始往云端伸展了，这时候，她从容不迫地回国，和丈夫离婚。这种题材不新鲜，王安忆笔下有，陈丹燕笔下有，它们差不多和上海的经济起飞平行存活。书里那个姓汪的女人，倒是我印象里第一个以长裤为标志物的女人，一个身无所寄、赤手打天下、撇却温情黏液的女人，每天却不忘熨平裤线和裤脚。不过也不矛盾，她向上的力，不正是基于这种细节处的苛求和着力吗？一个连细节都不能暧昧的人，如何能容忍一个处处苟且、事事暧昧的丈夫？

也许这是我要给唐颖做阅读笔记的出发点吧。她笔下最令我难忘的，不是被大家写烂的上海女人，而是一群面目模糊，堪称新时代的渣滓、旧时代的未亡人，被时代的高速列车上抛置的、颓废的男人。唐颖总是让我欢喜让我忧，她的文章难看时真的很难看。《红颜》看得我几欲吐血，好歹我也花了一只烧鹅的钱把它买回来，居然一上来就给我啃个麻骚的鹅屁股，几个欢场女子的故事，像个拙劣的舞台剧，骨节粗大，表情虚张，人物的手脚都生硬得无处放。

我叹息，说到底，唐颖不是张爱玲，她不是天才型作家，大概达到至境的作家都有四壁萧然、六亲不认的杀性和决绝，这样才能维持理性的水平面，成就公正的镜像，做个纤尘不染的“临水照花人”。她不能委屈自己的心性，她只能匍匐在自己的经验的地平线上前行，经验之外的，审美趋向之外的，骨子里就不能认可的，比如欢场女子的题材，就让唐颖最擅长的技术——温软的生活化的小细节，贴心的小女人心思——根本就无从施展。

还好我坚持看到了《随波逐流》，终于让我啃到了肥美多汁的鹅腿，哈哈。里面那个秦公子，实在是个标本人物，值得一记。他是个没落世家子弟，在“文革”里小心躲过了各项大小运动，在时代激变的冷暖流交汇处，苟且求安，以耽于物质生活和女人为乐，除此之外，将一切都视作干扰物，迎面撞上什么，他就躲让什么。理所当然的，这种男人，都会有个彪悍的妈、凶恶的老婆、欺负他的同事、鄙夷他的街坊、勒索他的情人，或者，还有一个被他引入成长期、开启官能的小女孩，比如书里的阿兔。

那么阿兔爱这个男人吗？她觉得不是，他是大她六岁的楼上大哥哥，是她鄙夷的那类男人的样板，她对他，不过是熟悉之后的轻稔。他不上进，他没出息，他踩不上时代的节拍，他作风不端，他行事轻浮。他懒散，他颓靡，他有爱无类，可是她也不恨他，因为这是个暧昧的、让人无从下手的、正数的爱和负数的恨都无从着力的男人。

他站在黄昏时下班的人流里，笑迎所有的女人，他眼角含情，他目光锐利，张三刚烫的新发型，李四新换的一款唇膏，王二最微小的一点点情绪波动……幅度最小的一点点变化和涨跌都被他看在眼里，疼在嘴里，及时地赞美、抚慰或注目了。是啊，他千般不对，万般不好，可是他有一个天大的好处：他眼里有女人，女人的存在因他而照亮，他眼角扫过的几秒钟，让一个女人整整一天埋没人群、被忽视的不快和不甘，都被拯救了。

每个男人的心里，都有一朵白玫瑰，还有一朵红玫瑰，其实每个女人还不是一样？只不过女人都爱对自己说谎。前一阵看苏菲·玛索的《说谎的女人》，然后又看到法国人说："这个女人啊，除了那张漂亮脸蛋，其他都是假的，她，写书？哈哈！"连对说谎的表白都是在说谎，女人的说谎多半都是用来自我形象修正的，类似于拍写真照的作用。就像阿兔一样，她以为自己喜欢的，是像大同那样积极、缄默、上进、有事业心的男人，其实这是与她理想中的自己，一个理性、洁净、向上的事业女性，相对称的，最后她发现这些都和爱情没什么关系。一个人的价值观、审美趋向、道德体系、知性好恶和她的心，是两件事。

《瞬间之旅》，我爱这篇小说，一天之内带着余热又重看了一遍，到现在情节还记得。其实情节没什么，就是一个女人，去度假，邂逅了一个男人，一夜情。小说好在它的自恋，自恋是多数女作家的致命伤，它使她们思维半径僵死，可是有时自恋会散发迷人的臆想气味。小说里的男主角之一，塞姆，就是个颓废到蚀骨的男人。他是个马来人的后代，学过音乐，写过专栏，并不固定地以什么为生，他只以最大密度地经历生活为乐。他也不反抗主流价值观，他压根就没这个概念，他眼里根本就没有这个抽象的对手，他只俯下身去，听从内心的欲流，跟着那个方向走。

他是个随时都要上路的人，之前我写过《离开的N种态势》，他就是一个典型的离开嗜好者，而书里的那个女人，楚红，就是与他在精神上相濡以沫、相响以湿，又相忘于江湖的女人。他们是同事，可她宁愿在前方保留一个空白地带地去爱他，他们每天有半个小时的私下相处，谈论一些精神化的话题，这已足以带给楚红微观的情绪波动。他让她觉得，这个世界上，还有比现实生活更精微的另外一种生活，精神生活不是什么可耻的事情，一个人努力让自己活得丰盛并不奢侈。

可是，这种关系真的能支撑一个人吗？在辗转的深夜，寂寞像雪崩一样起势来袭，像冬天的冻一样，能把人整个吃掉，而这时，你想一个人想得肝胆俱裂，起坐不宁，却不能哪怕打一个电话给他，因为，你只能背负自己的行李，帮自己挨过一关又一关，延续自己的生命轨迹，无论你多依赖那个人，他也没有精神上拯救你的义务。所以楚红最后还是和纳丹一夜情，霎时从体内游出的官能热力，足以打败几年的精神共振。他们做爱的背景，是“九·一一”，在物质世界大的崩塌之前，还有什么，比温热结实可触的肉体更真实的安慰呢？

《美国来的妻子》里，模糊记得那个丈夫叫元明清，这个名字真是够讽刺，一听就是个过时的、穿着睡裤在堂门口喝豆浆的家伙，但是角落里会有一些比女人还细软的心思。我记得，他的老婆、他的小姨子，都对他挺黏糊的，为什么这种社会角色上处于劣势的人，却会赢得女人的心呢？也许是因为他们自我状态不黏稠，没有什么攻击性，又懂得放低自己，屈就女人吧。

其实塞姆有一点是类似于秦公子的，就是他的镜面作用，只不过公子眼里成像的，是阿兔的肉体，而塞姆，是楚红的精神。女人的爱，有些时候，是自恋的折射，她们希望有人能像她们喜欢自己一样，喜欢她们。自恋没什么可怕，可它会使爱变得不朴素。自恋的人，总是在途中爱上被迎合后膨胀的虚荣心，在事后又过分怜惜受挫的自尊心。自恋是个危险的放大机制。

契诃夫，低低的爱

看完了《契诃夫的一生》，低回不已。虽然杂务缠身，身心俱疲，但这么好的书，还是不忍心不记一下。

那套《契诃夫短篇小说全集》十卷本，蓝白封面，略密的排版，是从苏州蓝色书店淘回来的，非常沉实，一路抱着，很怕丢失。如果你顺着十卷本看，就像看到一个冬春的日子，明亮轻风的早期，浑浊迷茫的信仰迷失阶段，最后是理念沉静的夜。我现在看契诃夫，基本就是看八、九、十这三卷。

契诃夫早年是个短篇讽刺小说家，那时的小说只有两种，一种是供有闲阶级谋杀闲暇的长篇连载，另外一种是快餐消费品，按行数计费的，一般都是几十行。契诃夫年轻时，一是自视甚低，二是为了养家糊口，写的全是这类小文。这也练就了他文字的爆发力、行文效率，必须在规定的行数里，让剧情成熟，人物成形，还要有余波。比如分配给人物外貌的文字，一般都只有几十字。为什么要推荐内米洛夫斯基的《契诃夫的一生》？这是一本传记，十多万字，可是它的文字密度、意象密集度、情绪饱满的润泽度，差不多就是契诃夫小说的质感和抒情气质，真的很奢侈。

契诃夫是个摩羯—水瓶。我和李老师讨论过，这个时段出生的人，往往有水瓶的天赋，加上摩羯的隐忍。从表象上看，契诃夫温和圆融，没有棱角，和任何人都不会有剧烈的冲突，迥异于白羊座的高尔基和狮子座的托尔斯泰的烈性与好斗，但是，也没有人能真正地接近或是渗透进契诃夫的内心，他像少女维护自己的贞洁一样，用一层月光般清冷的釉化剂，让别人轻盈地滑过他的表层，而无法深入。受到屈辱的时候，他从不出恶言，而是隐于人群，慢慢消化和吞咽。他的第一部戏《海鸥》，被喝了数次倒彩，剧组人员有的昏厥，有的痛哭，有的豪饮泄愤，继而大家发现契诃夫失踪了。第二天出现在人前的他，仍然是无波的平和，中间发生过什么，他如何度过了崩溃期，没有人知道。他屡屡艳遇，频频得手，可是他对妻子的要求是“最好是一个月亮，不要和我同时出现在同一个地平线上”。敏感柔脆的人，自卫的方法通常是两种，一是尖锐的对立，二是用貌似温柔的“不抵抗”，使对方的敌意变成无用功，契诃夫是后者。

他比托尔斯泰低很多。他出身低微，历代农奴，父亲那代才刚刚赎身成自由人；他落笔很低，笔下最成功的角色都是农民、小商人、小修士；他自视很低，撰文的前十年都不署自己的真名；他的信仰很低，童年时，爸爸用严苛的唱诗和行礼，彻底摧垮了他的信、望、爱。成年后，他视托尔斯泰为导师，用后者的救赎理论，以文为刀，力图改良社会，最后他发现，过度介入的文字，完全丧失了小说的本来职责。他和他周围的市井贫民，根本就是一块布料上剪裁下来的，他是小说家，不是社会活动家，他实在无法拥有托尔斯泰那种俯瞰和救民于水火的半神视角。

之前看过契诃夫的《萨哈林旅行记》，满目的苦役犯，荒凉的冻土。平淡的口吻下，有种和黄色书页一样真实的力量，让你知道，他所描述的东西，曾经存在过。我一直想不明白，为什么契诃夫要在那样一个氛围里去西伯利亚考察苦役犯呢？当时的俄国文坛正好是个青黄不接的过渡时期，托尔斯泰进入低谷，老陀死了，白银时代还未到来，整个文坛就是他一个大腕。如果是现在的作家，赶上这种机会，还不知道怎么炒作自己才好呢。他为什么要用非常宝贵的大半年时间，在极不便利的交通条件下，去那个苦寒的地方，做一个调查员就可以做的事呢？我想起他在旅途中投宿的农家客栈，翻身就是一把臭虫，西伯利亚铁路当时还没修好，全是靠马车在夏天的非冰封期里才能艰难地跋涉，一路都是泥泞的滩涂，而且他本身就有肺病，西伯利亚的苦寒对他的身体真是雪上加霜啊。

现在我才想通，正是这种浪费，才是他的价值所在，那就是一个俄罗斯知识分子的良知和社会责任心。他像最纤细而优质的麻绳那样，明知不可为而为之，把自己拴在已经陷入泥泞的社会现况上，咬着牙，拼命想把它拖出来。托尔斯泰是向上飞升，最后成了个宗教狂人，契诃夫是向下扎根，彻骨的寒心和绝望。高尔基也去斯大林安排的西伯利亚监狱勘察过，他也知道眼前的一切都是被整顿安排过的、非现实版本的监狱状况，他写出来的，完全是贴着斯大林心意曲线的东西吧。高尔基的境界，也就输在这一点上，倒不是他的小说技术。内米洛夫斯基在这本契诃夫传记里，反复使用的词是“当时的俄罗斯”，为什么我觉得这本书好，因为它有根系力量，里面涌动着内米洛夫斯基对俄罗斯气质的理解和爱。

契诃夫的爱很低，从少年时代，他就拖着孱弱的身体养家，这个沉重的负担，消耗了他所有的财力和生命力。契诃夫热爱土地，他种植果树，给玫瑰修枝，带着两条猎犬在林中愈行愈远，这些都是他荒漠般灰暗的一生中仅有的幸福水滴。他是一个忧郁温吞的男人，按照互补原理，他爱的女人，都是生机勃勃，充满青春活力，终于把他一脚踹上婚姻祭台的奥尔加，像试帽子一样，不断地调试着契诃夫的好感开关，揣测着他的易燃点。这个病弱而孤绝的男人，需要的是一个独立而灼热，且神经结实、性情刚猛的女性，她最终明白并且成功地实践了。

暮年时他总算结了婚，奥尔加是个万众瞩目的大明星。他自己在荒郊野外养病，捉老鼠打发时日，俄罗斯的冬天阴霾湿冷，没人添柴，没人斟茶，没人尽妻职。妻子却在莫斯科彻夜狂欢和社交，享受着奢华的极致，而他，从不抱怨。临终前，他焦灼得说不出话来，因为妻子为了看护他，没有按时吃午饭。一直到生命的最后一刻，他都爱她甚于自己，力图帮她成就自我，最大广角地体验生活——斗胆说一句，这是我很难在男性文人身上看到的优良品质。

村上春树的摩羯气质，及他的慢跑

人的体能和他的智能模式，往往有奇怪的契合。作家和哲学家热爱的健身方式，基本上都是散步、长跑，或是旅行。这些运动的共同点是：一、单枪匹马，不需要对手；二、全程密闭，在身体保持匀速运作的时候，更能信马由缰地思考。就像村上春树在随笔里写的那样，种种思绪像不成形的云絮一样飘过，云朵穿过天空，而天空留存这句话，在我看来是有禅意的。也就是说，他就是为了获得云朵之后的天空，才跑步的，这个天空，就是自制的、小巧玲珑的空白。

村上是个摩羯座男人，这是个坚忍、低温，而又有超强耐力的星座，长跑作为村上的生存隐喻，真是太匹配了。首先它完全以自我为坐标，没有竞技性。村上自二十岁离开学校，最早是开酒吧，后来是旅居异国，自由写作，根本没有

过纪律生活，他缺乏和人群的协调性，和任何人一较高下，都不是他的兴趣所在。长跑是以自身为参照物，与自己的体力、意志、懈怠为敌。其次长跑以耐力胜。村上的写作，自二十九岁始，至今已三十年——村上的长跑并不随性，像大多数摩羯座的人一样，他也属于计划性的工作狂，高价的水野牌慢跑鞋，耿直地抓紧地面，细细画好训练曲线图，在参赛前一周，让自己度过疲劳极限，达到最高峰值，绝不让肉体过于委屈，那样会把储备的体力本利全蚀。

摩羯的工作热情，有浓浓的自律、淡淡的自虐，他们天生就是要与安逸与滞重的惰性为敌，一定要在消耗中才能得到快感。村上写到一次跑完马拉松后的情景："我终于坐在了地面上，用毛巾擦汗，尽兴地喝水。解开跑鞋的鞋带，在周遭一片苍茫暮色中，精心地做脚腕舒展运动……这是一个人的喜悦。体内那仿佛牢固的结扣的东西，正在一点点解开。"如同写完长篇，搁笔，轻吐一口气。呼。他一点点地拉长体能的极限，四十二公里标准马拉松，一百公里超级马拉松，超越之后，兴味转淡，开始挑战更为艰巨的铁人三项，同样，到六十岁了，他还兴致勃勃地期待着自己的下一部小说。

这套高效率、低能耗的长跑理念，可以全盘对位这个摩羯座男人的创作观。每天上午，在脑力最明晰的清晨，写下洗净的字句；午休，写点小随笔健脑；晚上喝酒消遣，给大脑做放松活动，像健美操的收梢处，不让脑力过于透支，也和跑步一样，文思和身体一样，会有“文字憔悴”，一旦想象力和支撑它的体力之间的平衡瓦解，作者哪怕用类似余热的技巧，继续把作品的边缘打磨漂亮，也只能日暮途穷。

按说小说无非写实派和现代派，但是村上的作品常感觉比较临界，既不像真的，也不像假的。其实跑步是个绝妙的隐喻，就像他沿河慢跑，观摩湖面解冻的冰凌、金发姑娘扬起的辫梢一样，村上作品的真实感，来源于情节的律动和自顾自前行，而它的虚假，得自它与人世的疏离。比如《世界尽头与冷酷仙境》中，大雪纷飞中的图书馆，又比如《挪威的森林》里，渡边去找直子，听爵士乐，自种蔬食的疗养院。

摩羯总是有种隐忍的小温柔——有句话快把我看哭了，他写自己每每受了非难，就去跑步，心里苦痛多一分，就多跑一里，物理性地丈量一下人的局限性。《重庆森林》里，金城武说：“失恋以后我开始练习跑步，把所有泪水都挥发成汗水。”——很难想象村上或金城武去打撞球，或是扣篮缓解创痛，那种内心深处的咸苦，只能在无人处，一点点厚颜舔舐，再缓释。

所以,《少女小渔》里，与她合谋骗绿卡的老男，问她有什么爱好，她会说："I walk, because I have no money to do anything else."（我喜欢走路，因为我没钱干别的。）——她却从不拖欠老男的房租，老男最终被小渔唤醒良知，幡然新生。严歌苓说给主角起小渔这个名字，是为了纪念人鱼的献祭精神，我相信她并非妄言。《少女小渔》的MV里，小渔穿着江伟的大夹克，倔强地牵起一丝嘴角，唱着“我在春天走来，你在秋天说要分开……想要问问你敢不敢，像我这样为爱痴狂”。她在海边走着，唱着，小小的、单薄的身影渐行渐远。

近半年来，每每伤心欲绝的时候，我就穿了白跑鞋，下楼去夜市溜达，买久久鸭脖的麻辣肫肠。和绝味、千里香众品牌不同，久久的花椒比例特重，不仅辣，而且麻，辣只是刺激味蕾，麻简直可以电击毛孔，几口囫囵下去，全身一哆嗦，肠胃微微痉挛一下，眼泪就顺理成章地下来了——我们可能是类似的内心质地，敏于思，讷于言，只能把伤害扭制成另外一种形状的物事，跑步、走路，都是我们的容器。

倒数三个，我依旧舍不得把你删掉

“人的一生中，有意义的女人，不可能超过三个。”儿时，爸爸这样对淳平说。这个谶语，限制了淳平半生的择偶观，每每在可能性即将盛放的瞬间，他开始心中倒计时，唯恐浪掷了那个限额。三个，不可能比三个更多，好像宿命的阴影一样，使用完了就没有了，所以一定要俭省再俭省。高中时暗恋的女生是一个，大概是踌躇过度，从无形爱慕落实到有形行动的时间太长，以至于给最好的朋友抢了先。之后的两个名额，一直都没有用出去，好像台球手对着最后的两个球犹豫不休一样。所以，他爱女人的缺口甚于爱完美，因为那个缺口，就是他将来离开的契机，有退路的爱情方让他有安全感。

直到遇见贵理惠，这剩下的最后两个名额还捂在手里呢，给，或不给呢？心里又凉又热，忽夏忽冬，有些东西，因为消耗才有其价值吧，这是我自己的想法，比如车票，比如午饭，比如处女，比如单身身份。可惜贵理惠这个女人的自我状态很黏稠，从不舍得把自己深入日常生活的深处，她当然爱他，然而她更需要一个很大的自我活动空间。她连给他不安全感的机会都没提供，她带着空白，没有未来的无为性，无意而来，降落到他的生活中。

我爱这个小说，八成是因为爱这个女人，这是因为我也是个顽强的个人主义者吧。在人群里浸淫稍久就焦躁不安，饥渴难耐，只想快点潜回自己的深海里去。这个世界真是叵测，每个人接近了看都是千疮百孔，说些甜兮兮的假话互相敷衍吧，这种对称性伪善，或者可以暂且充抵“人与人之间的善意”，偶尔为之也罢了，天天如此假温情，真令人力竭。

所以，《绿毛水怪》里的妖妖，一定得逃回深海做水怪；所以，《碧海蓝天》里的男人，也只能在阴冷的海水里，继续辜负岸上那个女人，“你一定要潜入海底，那里的海水不再是蓝色，天空在那里只成为回忆，你就躺在寂静里，待在那里，决心为她们而死。只有那样她们才会出现”。美人鱼不过是个借口吧，只有结实封闭的孤独，才能真正地营养一个人的性灵，而所有的性灵都很自私，因为自为。

所以,《英国病人》从不离身的，不是那个女人，而是希罗德的历史书。书里有古老流域的名字，沙洲和绿地的名字，他草草画下的地图，随手写下的笔记，比如“在一半的时间里，我不能没有你，在另外一半的时间里，我又觉得无所谓，这不在于我爱你多少，而是看我能忍受多少”。她总要他对她说话，她需要语言来打捞，让她靠岸，他则厌弃语言，我想他厌弃一切被占有的途径，这个男人，他在遇见这个像小狮子一样长着浓密的金色毛发，轰隆隆开进他的生活里的女人之前，他全部的生活流域，就是这本考古书，以及它暗喻的历史的厚重。在想象力里打开的远古时空，他一度把它送给她，我一直记得他郑重而踌躇的眼神，还有她接过书时，眼睛里的发光的欢喜，一点点跳跃的小光斑。

而贵理惠呢？她的爱情是风，“当你站在高处，你和世界之间，只有风，风以它柔软的意志贴向你，你的脑海一片空白，毫无畏惧，风理解我的存在，同时我理解风，这真是美好的瞬间”。分开（其实也不是分开，只是一个再也打不通的死寂号码而已了）很久以后，淳平才知道，她的职业（其实也不是职业了，只是她的生存目的）就是在高处，两幢高楼间，搭上钢丝，解开安全缆，孤身前行，这个世界，“只剩下我和风”。淳平握着手里用不出去的第二个名额，他嫉妒风，嫉妒流云，嫉妒在她耳边飞过的大鸟。她的床上躺着她自己，她卧于她自己的历史之中，这之间，连一把最薄的刀刃也插不进去，他嫉妒。

书名是《天天移动的肾形石》，这个故事是淳平正在写的一部小说，一个外科女医生捡到一块石头，可是她发现这块石头天天都在以它自己的意志移动。她怎么也丢不掉这块石头，她把它丢向海底，它还会自己跑回来，她开始废寝忘食，衣衫不解地迷上这块石头。通过这块自我顽强彰显的石头，她开始意识到万物皆有其意志——其实这是写书的淳平，通过贵理惠的离去明白的事情。更重要的是，他决定慷慨地把第二个名额留给再也不出现的她，“数字不重要，倒计时不重要，最重要的是，彼此瞬间全然拥有对方的感觉”。谶语被打破了，那块肾形石，在某一天，也彻底消失了，淳平的小说，和村上的小说，套用了同一个结尾，非常完美的肾形故事，具有器官的精致圆熟外形。我将成为谁的倒数第二个、第三个（第一个当然要留给某人，或者第二个也有了），谁又将从此打破我的历史和限数，这是这几天一直在想的事情。

House in Imajuku 1978

两个回形针的季节

秋天的黄昏，早早便降落，我煮好饭，切完配菜，关上厨房的灯，在书房，端一杯桂花茶，看几页书，定心等待我的亲人归家。桂花蜜冲的茶，总是要在渐凉之后，桂花干慢慢地浸润，舒展成最初的四瓣，此时，才会有淡淡一缕甜香散逸在空气中。心里的皱褶，也在这样澄澄的静中，被熨开。这样的初凉天气，宜伏枕听雨，听秋虫低吟；宜于心底深耕往事；宜旧书重读。

书可以分为：碎片信息，电子化阅读，也就是网上浏览过即可；资料书，专业知识补充，可去图书馆借阅；文字速度慢，质感精致，值得收藏纸版的；有的书，研究和解读空间特别大，必须购置多个译者或诠释的不同版本；经典，可反复重读，它们的四周，有生生不息之空间，可以随着读者年纪增长，生命体验的丰厚，以私人体验回应文本的能力增强，回音也会越发浑厚，不断加深阅读体验。

有一次，皮在我书架前翻看我的书时，问我："这书里的回形针是怎么回事？"我说："是觉得那页的某段好，又怕破坏书面整洁，所以用回形针别住，做个记号。"回形针，是我对书籍隐秘的抒情，回形针密集的，是感触良多；稀疏的，可能不怎么契合。如果是两个回形针，就是说，重读的时候，依旧很喜欢。

秋天，就是两个回形针的季节。

最近重翻《田园之秋》，那是陈冠学重返田园后，写下的耕读生活笔记——我读书一般是三遍：第一遍俯瞰情节，摸熟人物；第二遍细过内容；第三遍咀嚼细节。读到第三遍，发现陈冠学的用字真是精致，公鸡"鸣"，母鸡"啼"，（不是笼统的"叫"）人坐在"带着黄味的光幅"里，小雨是"檐滴"，大雨是"雨粒"，运笔之针脚精细，对待文字的敬重心，一字不可乱摆放的恭谨……商品的"格"一般都显示在细处做工上，我忍不住像民国闺秀高老太太谈起旧时杭城吃食一样说："那样的好东西，现在是没有了。"

还重读了《梦里晴空》和《过去的痛》，这是梅·萨藤晚年的两本日记，六七十岁时写的，诚实地说，从文字技术角度来说，它们比她早年的《独居日记》《海边小屋》要单薄和寡淡。我之前重读，一般都是读前两本，反复欣赏她自我绽放的绚丽，她的日记，是我见过的女性日记里，混音音效最好的：生活、花草、阅读、社会和政治话题、人际，每个独立声部都发声清晰，整体又能和谐共振。她是一个意识流的好指挥。

但她中风后（这种病对身体和思维的影响都是很大的），她的笔力明显弱了很多，连抓词能力都松软了，行文比早年用词粗糙。可是这次重读，我却被感动了。她一点都没掩饰病重独处的虚弱，及对诗才离开她的恐惧及忧心，这个和病体搏斗的过程，裸露自己的率性，比起年轻时尝试非主流生活的果敢，又是另外一种勇气。

秋天，接过夏天的炽热，步入隆冬的酷寒，这由热转凉的过渡，是生理对降温的调度适应。而人，到了生命的秋冬季节，告别狂飙青春，该如何有尊严地步入老年而不是被哭喊着拖进残年，梅·萨藤回答了这个问题。而再往前一步，被死神的手指点中之后，又如何说再见？有些人，是重读自己的一生。

战后欧洲史专家托尼·朱特，患上渐冻症（就是霍金那个病，还记得“冰桶挑战”吗？）之后，于四肢瘫痪，舌肌即将失灵之前，在轮椅里口述了他一生的故事，那本特别好看的《记忆小屋》。

重读自己的一生，他别上两个“回形针”的段落是：交通工具，他少年时代的爱人，不是女人，是公交车、火车、轮船，更确切地说，是离开此地的“前往”——他记得随爸妈度假，穿过英法之间的海峡，甲板上法国食物的气味。他也能忆起，他常常用一周积攒的零花钱，编造各种借口，坐巴士、乘火车到近郊，越过城市周边的绿色边缘地带，看战后尚未重建、野趣尚在的伦敦。他这样描述和火车的爱情：“爱是这种情况，就是，让被爱的人满足于独处。”他最爱独自坐在交通工具上，车程中尚未抵达的内心空白地带。读完此书，想到撰书之人已经被疾病带往天堂，而他死前留下的文字纹丝不乱，丝毫不失态，我竟然哽咽。可是如此富有尊严地死去，何尝不是对死讯的漂亮回话？

命运像书一样，从我身上流过，我从不敢奢想活成万人传阅的经典，只想做个不负保存的纸书，最后明白：可堪重读的丰富蕴藉终是难求，有一两页能夹上两个回形针的书页，在这不易之生中，也算是有所得了。

渴雪

《伤心咖啡馆之歌》，原来里面也有一场雪，之前怎么没有注意到呢，一直想写个系列，“作家和他们的抒情道具”。我写了《杜拉斯之水》，写了《马尔克斯的伞》，应该再来一个《麦卡勒斯的雪》，麦卡勒斯笔下的人物都有渴雪症，少女米克（《心是孤独的猎手》）和男孩并肩躺在滩涂上，身上的水汽都没有干，男孩的手开始摩挲她，她问：“你见过大海吗？”“告诉我，大海的样子。”男孩开始吻她。“我在想我没有见过的雪。”米克说。想象中的雪，飘下来，把他们覆盖。米克闭上了眼睛。男孩进入了她最温柔的内里，肃杀悲壮的成年礼，雪落无言的一场祭奠。

雪是华美的希望，又是易融的脆弱。每一场雪事，都有一个可能性被杀掉，在这里，是少女米克对未来的张望吧。

她想做个音乐家，虽然家里从来就没钱给她买钢琴。弟弟出事以后，她只能辍学上班去补家用。长丝袜、廉价口红、指甲油，成年女人的脂粉气，模糊了少女米克剪短发、穿男装时那股子清朗的男孩气。那个在屋顶上抽烟，躲在树丛里听歌，走在路上也有内心激昂音乐伴音的小女孩，内心的佻仯，被平庸的生活彻底稀释了。人生是个不断受挫的过程，可是第一次总是最痛的。

《婚礼的成员》里，也有雪，在那个白热化的灼亮夏天，金色的灰尘足足有一寸厚，天空的颜色是鸢尾的蓝。少女弗兰淇，埋首图书馆里，"圣彼得堡，莫斯科，茶炊，暴雪"，这些冰凉的词语缓解着她的燥热。这里的雪，是她孜孜以求的、新鲜的生活经验，每个人的青春期都是这样的吧，以为一件事、一个人，就是那根彻底救你于浑浊庸常生活流中的稻草。对于弗兰淇，这根稻草就是兄嫂的婚礼。她渴望追随她们奔赴远方，那个冬天下雪，有着波澜壮阔精彩生活的远方，可是他们还是弃她而去了。这场文字里的雪，合上书页，就蒸发了。

《伤心咖啡馆之歌》里那场雪，就是马文出狱之后，来找艾米利亚报仇，决斗开始之前，小镇下起了前所未有的雪。

麦卡勒斯出生于美国南部的佐治亚州，那里地属热带，即使冬天也没有雪迹。麦卡勒斯就像她笔下这些少女一样，有着浓重的臆想气质，在亲见生命中的第一场雪事之前，就在她的小说里，缔造了她从未见过的雪。在她的想象中，这场雪是蓝色的，四周是噩梦一般的寂静，天空是灰的。

真是一部歌特小说，情节和配景一样非常人工和失真，上来就是畸零人，骨节粗大，气质和长相都男性化，不近人，做事完全不合人情的艾米利亚小姐，爱上了女子气兮兮、邀宠术娴熟的小罗锅，麦卡勒斯真是够骄傲，一点示弱的缝隙都没有给艾米利亚小姐留下，把她的贪婪、物欲、薄情，写得历历在目（麦卡勒斯要做的，是直达疼痛，而不是同情），而这样一个完全不能启动读者同情机制的冷硬之人，对能唤起她情欲的小罗锅，却低贱得近乎谄媚。“甲之蜜糖，乙之砒霜”，小罗锅对马文还不是一样的失却自尊，讨好巴结。故事唯一的主角，仍然是孤独。麦卡勒斯的孤独是，她都懒得让读者理解她的孤独，所以她笔下的爱情都是非常不讲道理的。

这场雪让小镇上的人都惶恐不已，牧师想着怎么把它编进祈祷词，小孩子舔食它的味道，雪就像纸片一样往下落，艾米利亚小姐对此视而不见，小罗锅欣喜地围着雪片打转，马文是见过雪的，在监狱里，他因着对艾米利亚小姐的爱情受挫而坐牢。他对雪不屑一顾。雪也好，爱情也好，都不可能成为一种公共经验，你只能低头去饮自己的那杯冷暖之水。

在马文与艾米利亚小姐的决斗中，因为小罗锅的倒戈，艾米利亚小姐输了。麦卡勒斯最擅长描摹的，都是定居在少女和女人的临界地带、气质也临界于男女之间、性征模糊的小孩，米克是，弗兰淇是，就连暴戾难处的艾米利亚小姐，其实也是。小孩子的心，都是玻璃做的，看上去再硬，骨子里也是脆的。麦卡勒斯故意为这个角色留的门就是：她在初夜的晦涩表现，不能从肉体环节上顺利地过渡为女人，还有她一提到妇科病就脸红。其貌不扬，立场骑墙，行事猥琐，恶意制造人与人的间隙以牟利的小罗锅，才是她的初恋。

河边傍水而过的假期，炉火边的彻夜倾谈，人群里柔情的凝眸，对于生涩于情事的艾米利亚，已经是最大幅的示爱了。可是，这些细碎的爱情小雪片，很快就化了，麦卡勒斯的雪，从来就是那么脆弱。小罗锅的背叛，彻底击垮了艾米利亚小姐，这个平生最大嗜好就是打官司的暴烈女人，现在连仇恨都失却了力道，只能用“失修的破风琴”一样恹恹不振的声音，咒骂逃逸的小罗锅。

小说叫《伤心咖啡馆之歌》，从开头到结尾，麦卡勒斯都在那里反复地写，这是一个破败的小镇，罕有人迹。咖啡馆，那真是前所未有的热闹地方，从未有过，也不会再有。不会再有了，艾米利亚小姐钉死了咖啡馆的门窗，工人下班后无处喝花酒了，长舌男没地方传播是非了，快乐如雪花般盛放之后，又如雪花般凋零。曾经是全镇人晚间天堂的咖啡馆，现在变成了一座活坟，艾米利亚小姐那张再也不会笑骂的脸，是墓碑。小镇又恢复了坟场般的死寂。雪，是做了加法再做减法的孤独，一个人，两个人，三个人，一群人，最后还是一个人。雪是幻灭之味。

男人的情愫

《告发》，收在《第五纵队》里的一个小短篇，也就万把字吧。我得说，海明威的小说，就注意力而言，投入产出比真是低。万把字的东西，看了我一个晚上，始终听不到心底的那声“咔嗒”，我打不开它。偏偏我又是个偏执的人，所以一次次转门锁，妈的，先是冯亦代版本，百花文艺出版社那个，觉得隔，又去找上海译文出版社的，蔡慧那个版，发现她的译文也救不了我。后来突然意识到，解题的关键不是文字，而是情愫，男人才懂得的那种情愫，我长不出喉结和胡须，我也没有刮胡子或爱抚女体的手感，就像这类事一样，海明威，是我经验之外的东西。至今我能看到让心底“咔嗒”的海明威，大概也只有那个绕指柔的《雨地里的猫》。

还是先说这个《告发》吧，故事很简单，就是西班牙内战，海明威去一个酒吧喝酒，发现了一个法西斯分子，结果酒保来试探海明威该怎么办，是告发还是怎么的。海明威的态度是“关卿鸟事？”“关我鸟事？”但是小说家的好奇心，大约是类似于化学家，他很想试验一下这个激变下，人性的趋向会有怎样的易色，所以，他给了这个酒保一个军事机关的号码，如我们所料，这个法西斯被抓了。这时的海明威，突然有一种难言的不适感，于是，他打电话给那个抓法西斯的人，“你们告诉他，是我检举的。”海明威说：“别让他对那个酒吧失望，让他恨我好了。”

我很想找一个男人去谈这个小说，“你读海明威吗？”“你读《第五纵队》吗？”“你读过《告发》吗？”我可以模糊地接近，可是我析不出，也无法把这种情愫结晶。海明威内心的不适，是什么呢，是如冯亦代在跋里写的“强作正义，求心之所安”吗？我觉得不是。他是觉得不洁，应该，这个不洁，从哪里来呢？因为他觉得自己检举这个男人，是原则的沦丧，关键在于，原则有大原则和小原则，正义，在海明威心里，也只是末事，他更崇尚的，是一种“硬汉”法则。

我依稀觉得，枢纽还是在开篇的部分，为什么万把字的小说里，海明威要安插这么重的一个头，大概有一两千字都在写人物活动其中的那个酒吧，而海明威这个人，用字极简，实在不是个沉溺于景语、滥设情调的人，他就反复地在那里说啊，这是一个男人的酒吧，这是一个最好的酒吧，我们不需要娘们，我们不需要政治话题，我们有好酒，我们有朋友。这是一个小而逼仄的空间，像母体的羊水一样，保护着每个在大环境里失重的人，大环境是什么？满地被炮轰的碎玻璃碴，遍地的弹灰，时不时轰轰而至，如滚雷般的炮击。

所以，勇敢的、不怕死、快乐的硬汉，都跑回这里来消遣、娱乐自己了。每个人一进来，就觉得自己卸掉了大环境下的身份，只剩下“及时寻欢”的小我了。这个小我，应该是可以逃脱在大的秩序之外的，所以，那个法西斯，在那么高压的政治空气下，也大摇大摆地来了，因为，他觉得，在酒吧的默认模式下，他是安全的。这里没有战时的种种明亮逼人的敌我关系，而海明威就在那里反复地说“这是一个勇敢的蠢人”。

但是，海明威字典里，最大的一个词，是不是“勇气”呢，甚至高于“正义”。这个法西斯说起来也是他的朋友，输钱从不言悔，打猎是把好手，战时也敢来敌对方的酒吧晃悠，他符合海明威的“硬汉”标准。所以，海明威深觉不洁，因为他参与了一件“出卖硬汉”的事。正因为此，他对酒吧正义爱国的行为，不耐烦且拒绝介入，被冯亦代反复批评为的“冷漠”“隔离”“旁观”，其实，实在是因为，海明威要保护自己心底更高的原则。

他修补原则的方法是打了那个结尾处的电话，因为，这样他才可以对自己的行事准则、立身之道，做个交代。被仇视的滋味，好过急剧萎缩的良好自我感觉。他爱极了他心中苦苦经营出来的那个硬汉形象，当他站在良心前面自省的时候，什么也不能伤害他美好的镜像。这个，才是最重要的。

芒果永远九岁

看Z寄来的《芒果街上的小屋》。这么多年来的习惯是回避主流,窝于边缘，以至于这本红透半边天的书到现在才看。真是满适合现在人的节奏的，切得碎碎的时间碎片里，拈一口，即时消化，写字的女人，文字功夫是举重若轻的那个路数，用很少的字，表达一个很漫漶的意思。很多童话文字，还有金子美铃童谣,也是这个路子。但是写得真好。妙就妙在：落脚在写实和现实之间，如果是后者，就是《米格尔街》了，那个调子就暗沉了。阅读成本也会高得多。

我听很多人说它干净，其实里面还是有务实的舵啊，种族歧视，努力融入主流社会的底层情结，穷人和小灰姑娘的自卑心什么的。它也没有刻意滤掉这个现实的霉斑。看似一个小姑娘的,低矮的视角,却有很多“大”情结。想要一个自己的，不被任何人左右的自主空间，有大窗户的大房子。做个经济自立、交际开阔、妩媚动人、魅倒众生的大女人。一边眷念就一边反抗着。而且它的宽容、平视、自制、缓和，也还是一个成年人的回眸。

就这么随着她一路溜达而去，景点过处，去日留痕。实在是个敏感的小女生，一点点颠簸都引发不快，这个触媒可能是一双塌了跟的、和衣服不配的旧鞋，它让她始终不敢走出自己的座位。也可能是一个小破房子，她羞于拿它示人，穷人的自卑心啊。嫫嫫指了一个破屋顶说这是你家吧，她一边哭就一边默认了。读这么松弛的书，为什么我的心是拎着的呢？因为自己的周围，也有这么一个时时存在的情绪沼泽吧，你不知道什么时候，一个微微的转身，就陷进去了。我也是一样，一直都走不出那个没有安全感的、危机四伏的、少年与成年交接的泥泞地带。

一本书读下来，这个小女生就在不经意间长大了。她的视角一点点增高，却只能欠身屋外，听着夜晚莫名的喧嚣，想象着那些完全不能细节化的、成年地带的事情。把少妇的妖娆鞋子一双双拿出来试，在街上踢踢而过，享受一下激起异性小小色心的快感，伸出脚尖探一探成年地带的水温。在男孩子凝眸的眼光前，屏住呼吸，一脸凛然无事的样子走过去。心里却是小鹿在跑，惊魂不定。自己掏心掏肺赤诚以待的小玩伴，却提前趟过孩童期，直接到达河对岸，和男生调情了，被撇单的孤独和羞愤。心里的声音在涨潮，却只能对着窗外的小树喃喃低语，忧伤太多，天空不够，流云不够，给所有的雪花取名字，还是不够。任你怎样心焦地等待，日子永远是那条涩滞的河，裹挟着难看的旧鞋，瘦不下去的娃娃脸，蜗居难安的小房间。邻居的昼夜吵闹，寂寞深闺怨妇在窗口张望的脸，病妇辗转病榻的愁容，这些所有不快乐的碎片，缓缓兀自向前。

清淡笔墨描画的那些轻愁，是成长中的公共经验，超越了种族地域，所以它可以轻快地击中我们最敏感的神经末梢。我还是搞不懂他们为什么说这是一本快乐的书。因为我看着老是伤心。我觉得那么个人，成长的过程应该是疼痛的，触角太多、太柔软、太敏感了呵。可是当她快乐的时候，一定也是锐利、明亮、不留余地的。哪怕那快乐只是局部和短时：一双妖娆的大人穿的鞋子，或是一个可以自由玩耍的公园，可以彼此全心拥有的小伙伴，一辆合骑的自行车，男孩无意的凝眸，一朵胖乎乎的云彩。这些零碎的光斑，悉心地照亮了她的童年。爱伦堡怎么说的？感谢诗情对庸常生活的拯救。让他在流亡的岁月里，也能看见蔷薇色的天空，浊绿的河水。

这本书力图复原的，是个孩子的视角和情绪，清新洗净，微尘不染。就好像一个知道结局的人，用来路上的孜孜兴致在说话。这是一本孩童观的书，它的情绪底色，是“等待”。在一扇紧闭的门前苦苦等待，那个可能性绽放的美妙瞬间。时刻准备着，伸出手去，接住那些幸福的小雨点。所以，你永远不会有读某些写实小说的那种压抑感。

真是一本色香味俱全的书呵。我爱极了那些随手拈来的妙喻。“她的气味也是粉红色的”，“一只大狗，像披了狗皮的人”，“台阶……像一堆乱牙”。通感使用得惊艳之极。高效地拉动了行文。很多质地涩滞的东西，被诗情涂抹过以后，变成了一种口感较清甜的，可以入口的回忆。我还无比喜欢那些边缘化的，旁枝横生的怪念头，比如“九是一个变化之前的，充满可能性的数字”。无疑，这本书的小女孩，就是这个永远活在“九”岁的，不知道十岁会发生什么的人。

说起来，这本书功能区还是满丰富的。深有深的入口，浅有浅的立足。每个人都可以各取所需。有政治热情的人，可以看到种族歧视。有励志心的人，可以看到穷人摆脱苦海的奋斗史，呵呵，知识改造命运啊，作者从小接受美国教育，受政府资助上了大学，被推荐进了国际知名的爱荷华大学研究生写作班，从而成为著名的“美国”诗人。同情心炽热的人，可以看到势利眼。文艺青年可以咀嚼诗化段落。好打抱不平的人，可以留意字里行间，那些对有色人种之阶级压迫。

我爱夏加尔

真是意外所得，在先锋书店的特价区，淘到这本《我的生活》。夏加尔的传记，找了那么久的，得来全不费工夫，还有书票送呢。其实此君的文采，真是蛮贫瘠的，像是时下的网络文学，骨血单薄的样子，一句一句，平行累加叠成，小小的碎步，没有纵深。他的故事不好看，他也不是个能在文字中为自己的心事找到出口的人，感谢主，由此他只好另辟蹊径——成了个画家。

但他常常有片刻出彩的时候：到底是画家，视觉化语言运用得行云流水，随手拾得的就是“爸爸喝醉后的脸，糅合了砖红和粉红，折合成淡淡的酡色”，要么就是“先生的脸呈赭石色，被蜡烛光映衬得分外明媚”，呵呵，遍地都是这种一小片一小片的画意。他还颇有诗情，三两步叙事之后，就接上个抒情小跳，偏偏我最讨厌这种不老实的诗化回忆录，其实，他的画里有相同质地的东西，就是让人微眩的、梦游般没有逻辑的超现实景物，但是他的画，我倒不讨厌。

我真想有个朝南的落地窗啊，我要找一面迎光的墙，就是早晨最初被旭日照亮的那面，我要在上面挂满夏加尔。他的色彩，那样奢侈的狂欢气息，我希望我的孩子，在这样明亮的诗情中长大，他们，才配得上婴孩干净的眼睛。算了，也许一幅就够了，毕竟颜色太热闹喧哗了，我想挂那幅《孕妇》，穿黄裙子的孕妇，身上撒满了斑斓的光斑，一看就是能把过冬衣服都晒得香香甜甜的好阳光，肚子里装着一个胖宝宝，脚下是维台普斯克的农宅，松糕鞋般的小木头房子，憨实笨拙，一看就是过日子的样子，让人安心，还有一头在散步的笑面牛。

我喜欢他对生活的积极性，还有一点孩子气的幻象：他笔下的鱼是长着双翅的，他的母鸡是会凌空飞行的，他的牛是拉小提琴的。所以也只有他，可以去给拉·封丹的动物寓言画插图。而一个人的成长经历必然会影响到他的视角，夏加尔曾经做过画招牌的油漆工，所以他的画有广告化的装饰性，及其带来的直接作用于感官的愉悦感。看他的画时，只觉得地面的景物，逼近了，更逼近了，然后我就有那种低飞和俯冲般的微眩，接着我就赶紧闭上眼睛，一点点地反刍他那些长着双翅的鱼、凌空飞行的母鸡、拉小提琴的牛。

他是个贫苦的农家孩子，爸爸是个卖鱼的小工，鱼鳞的银光勾勒出他的身形，鱼腥的恶臭代言他的体味，“他弓着腰，用一双粗手翻弄着冰冻的肺鱼，他的老板，像个标本一样立在爸爸身边，又肥又大”。这段话几乎把我读哭，夏加尔的身体里，怎么都还封存一颗柔软的小孩子的心呢？带着小孩子的英雄主义。爸爸是“弓腰”“粗手”，老板则是“又肥又大”，这个力量对比也太明显了嘛，他怜惜爸爸的弱势。虽然爸爸常常把被欺侮的苦怨撒向更弱势的孩子，他在他们沉睡的床前举起皮鞭，给他们零用钱的时候撒得遍地都是，带着施舍的倨傲，可是在这个孩子眼里，爸爸始终是那个傍晚带着一身鱼臭、寒气和星光回家的汉子。他时时对他们施以暴力的粗手里，有时也会托着糕点和糖果，那一天，就是孩子的节日。他只想记得这个，不要怨气，不要仇视，不要暗礁，把记忆中的寒意都过滤掉吧。

重读这本书（过去那本是借来的画传版），才读出了这个孩子的敏感、纤细和易折。小时候，他去外公家度假，外公是个屠夫，每天都要杀牛和羊。每次下手之前，外公就会对牛羊做一点思想疏通工作，“把你的蹄子伸出来，现在该杀你了，来吧，来吧，这就是你的命运啊”，牛羊们就会流着眼泪，伸出一条腿，引颈受死。夏加尔抱着牛羊的脖子，也哭了，他也无力扭转它们的死局，他能做的，就是不吃它们的肉，可是这笔感情债，阴郁的内疚，一直盘旋在他的心里。长大以后，他用画笔为它们超度，他画了好多笑面牛、咧嘴羊，它们拉着小提琴，环着手，围着篝火跳舞。它们很快乐。

他的妻子，蓓拉，出身名门，两人背景落差极大——夏加尔的爹是卖鱼的，蓓拉的爹是开珠宝店的，晃动闪耀的首饰，超出了夏加尔的视觉经验：“我只在梦幻主义的画中，才见过这样辉煌的阵势。我们家呢，哈哈，我们的餐桌和菜肴，像极了夏尔丹的静物画。”——人人都知道，夏尔丹是平民生活场景的视觉调查员。蓓拉的全家人，和她展开车轮战，他们轮班说服她，取消这荒唐的婚约，她不置可否，只是逐日地，一早一晚，把她家里的鱼、肉、甜点，及她自己的甜美爱情和肉体，带来滋养我们的画家。他只要打开他的窗户，就可以看见树林、绿草、月亮挂在林间，马留在农田里，猪留在圈里，一切都在它该安居的所在。蓓拉，带着蓝色的夏夜空气、鲜花和田野的气味，朝他款款行来。……他们并不说很多的情话……夏加尔的衣扣再也扣不上了。而她，穿着她的白衣服，或是黑衣服，在他的画里，飞来飞去，日益轻盈。

我的安东尼亚

《我的安东尼亚》，最先看的居然是这篇，为什么一直记得安东尼亚是匹马呢？可能是和斯坦贝克的《小红马》弄混了。移民兼拓荒小说，嗯，没关系，反正威拉·凯瑟可以把任何一个题材写得好看，嘿嘿，她就是台马力十足的叙事机器嘛。一百多年前的美国中西部，地貌荒凉，渺无人烟，我看书的时候就在想那片荒土，一望无垠，细节全无，一棵树都不长，天是无染的苍穹，地是绵延的红草地，没有一点调剂性的细节。夏天绿浪起伏，白热的空气，冬天大雪封门，不用雪犁开挖出一条沟来就别想出门，哪怕是去五十步以外的鸡笼喂鸡。

在这样的环境里拓荒，扎根，繁衍，生息，人的心，得分外地热吧，也许这热力，就是威拉动人的地方，一点点的萎靡，不振，退缩，滞意，都会立刻被雪崩般的绝境掩埋。只有像安东尼亚这样的姑娘，带着独立意志，目标明确地朝天而长、背土而生才行。她们知道自己要什么，喜欢什么，她们也爱慕城市的喧哗和暖热，可是她们的心，并未被文明污染，她们更亲近土地，她们喜欢亲手喂大自己的孩子，喂肥自己的猪羊，铺好松软洁白的床铺，把一个个孩子哄上床，给他们讲临睡故事，喜欢做出丰盛可口的饭菜，看别人吃得津津有味。她们活在一种自来的欢乐之中，那种欢乐，像地下温泉一样，可以绕过生活的暗礁与磐石，溯流而上，暖及他人。她们还有一种不太细腻、却令人振奋的生活意趣。他们微微地比画一个采摘动作，就可以让你看见她们身后果实累累的苹果园。就是那种体内热情太多，一个溢出来的小细节都可以激发你的想象力的姑娘。

安东尼亚是一个波西米亚姑娘，随父迁到这片不毛之地。这类移民姑娘，在美国的中西部开化史上担任重要角色。她们往往是家中的长女，从小就穿着褴褛衣衫，在未垦过的牧场上放牛牧羊，拉扯弟妹，稍长又被送进城里帮佣。因为她们没有受教育的机会，所以都不会说流利的英语，也没有更好的谋生或谋爱的机会。野外劳动练就了她们健硕的体格、不羁的野性，一旦初进城的不适和青涩被精致的城市生活中和掉以后，她们就会被催发出勃勃生机，她们的身体焕发出懒洋洋的性感，不须刻意经营，也可以是种无意的魅惑。那些线条僵硬、举止媚俗、被文明驯化的城里姑娘，她们的身体迟钝得好像是写着“请勿打扰”，此刻统统败下阵来。

可是这些晋级后的乡下姑娘呢？肉体魅力和野性的风情，会给她们交桃花运的机会，却不会让她们真正地攀升到更高的社会地位，真难以想象，在那个晚上九点以后就没有一条大路还亮着路灯的破败小镇上，也有那样横平竖直的等级观念。这些姑娘，好一点的，比如尼娜，她是挪威移民，小时候穷得只能裹着破布片在牧场上放牛，还得在牛背上替弟妹织补袜子，忍受一个半疯癫男人的窥伺。但是这个女孩子，很有股子粗中见细的生存力，她细节模糊，却全局意识清晰。男人占她点小肉体便宜，边缘调情，边角碎账，她从不计较，没有大幅反抗行动。但是在大的方向性的问题上，绝不含糊，她扎实地经营着自己的事业，她知道这才是立身言爱的前提。人生，说到底，也就是那么几个拐弯，错了，就是一辈子的歧路。像安东尼亚那样，在细节上一尘不染，凛然难犯，可是却遇人不淑，一意孤行，最后只得拖了私生子回家，饱受兄长的歧视，像头牛一样地干活，顶着耻辱牌，在人前再也抬不起头来。

不经历挫折，怎么知道你的承压力呢？安东尼亚最让我感动的地方也许正在于此。她重新结婚，像个男人一样下地干活，没有怨气，没有诉苦，因为，她爱的东西，土地、乡亲、孩子，从来都在那里，像孔雀一样长着华美羽毛的大公鸡，晨光下像喷了银似的苹果树，海水一样泛蓝的矢车菊，夏日荫满中庭的蜀葵。她挚爱的东西，从来就没有离开过她。每一寸她流过汗水的土地，都让她觉得亲，觉得踏实。我想威拉·凯瑟一定是个热爱土地的人，这些甜美的景语，绝不是甜兮兮、喷涂上去的一层田园情调。它是埋在一个人骨血里的热爱。威拉·凯瑟肯定做不了一个评论家，她天生就是写小说的料子，她是那种只能被直接经验影响，也只能反述直接经验的人。

最动人的是安东尼亚对吉姆的那种感情，他们自小一起长大，吉姆是那种有机会接受教育，从而彻底改造了自己的乡村背景，晋级为城市人的青年。吉姆回去探望已做了妈妈的安东尼亚，两个人一起去小时候常常游猎的那个牧场玩，吉姆黯然地向她道别，其实两个人都知道，这一“再见”可能就不会再见了，安东尼亚说：“你知道么，吉姆，我知道你也许不会再回来了，可是你一直在我身边，我感觉，我一直在和你说话、讨论，就像小时候一样。”吉姆说：“我是一直把你当作我的母亲、姐妹、恋人，一切有亲缘关系的那种女人的，你的想法就是我的一部分，你影响着我的爱憎，常常，我想一件事的时候，会想起你，这件事就通过了你。”然后，两个人在昏黄的暮色中，走到土路的尽头，分手，各自返身而去，永不回头。

有一阵子我翻文艺复兴的画册，那些画真美啊，波提切利笔下的一个手指、一个脚趾都是那么饱含生命汁液的纤柔美丽。我想我这一辈子都去不了欧洲了，也不可能看见任何一幅原作，可是那又怎么样，只要我见识过这些美的碎屑，就足够了，我还有想象力，它们可以让我拥有富饶自足的精神生活，战胜我在经历上的贫穷。而在安东尼亚眼里，吉姆大概是她不配得到的幸福吧，虽然见不到他，可是，她总是在揣想着他的起居、动态、生活，他始终近在咫尺，从未稍离。吉姆也是一样的，安东尼亚是他沉淀在快乐乡土童年里，最甜美的那块，是他藏在心底的一块蜜。

我在想，人的生命中常常会有这样一种情谊，它不完全是未成形的爱情，莲花美在未出水时，那么隐秘盛开的青梅竹马。它没那么重，它也不是一种被稀释的甜味剂，所谓人与人之间的温情，都不是，它更是——一个人路过了你的生命，你的口袋空空，无法支付对价，让他落在实处。他拿走了你的一些东西，又留下了一些，又有一些你们共同开户的东西，被封存了，可是他却营养了你的成长，开阔了你的视野。他时不时地会在你的生命之河里浮上来，让你对一些美好的东西抱有更坚实的信心。当然你无法拥有，可是你仍然相信，有些高于日常生活的美好事物，就在不远处。这种积极的经验，也许就是幸福吧。

正是因为前四分之三的苦闷，铺垫得太结实有力了，以至于这本书给出的“解”非常虚弱且没有说服力，它让克劳德去从军了。我吃惊地看到，威拉·凯瑟笔下的战争，居然是好莱坞战争大片里那种廉价英雄主义的“爱心与救赎，正义与献身”，将年轻滚热的生命投身于拯救他人家园的事业之中，威拉安排克劳德以这种方式获得信仰上的拯救。而一个亲历过“一战”的人，比如海明威，受到的心理颠簸，价值观的落地而碎，绝不会让他写出这么甜腻的战争颂歌。虚浮于直接经验之上，就是连威拉这种心理写实的高手，在战争情节上，笔力也虚了，那些苍白的高调，也不过是无意识伪善。舌尖上的蜜，涂得太多了。前四分之三处的克劳德，真的是一个让我眼熟的“我们中的一个”。最后那四分之一处的他，我又不认识了。

午后四点

翻了那个比利时女人诺冬的《午后四点》，看得我一路都在笑。不晓得为什么，这本书引发的居然是我对“暴力”这个词的一些蔓延思索。比如，贝尔纳丹现象，算不算是一种暴力呢？贝尔纳丹是本书的主人公，一个退休的医生，每天下午四点，准时敲开埃米尔的家门，惜字如金，或者一言不发地干坐两个小时，然后，在六点钟准时离去。天天如此。而埃米尔呢，他存了半辈子的钱，才在乡下买房安居，只想和老婆平静厮守，岁月无惊，过时空之外的田园生活。可是，就有贝尔纳丹这种思路野蛮的人，顽强入侵你的生活，不离左右。无论你怎么好言相告，恶语相向，明示暗示，反正他就是铁了心阴魂不散！怎么办呢？你是文明人，你不好意思说“滚出去”，你不能像街市婆一样拿扫帚把他赶走，你早被各种修养规范得横平竖直，广播体操是绝对打不过铁头功的。

贝尔纳丹自己身患不治之症，就是：他仇视生活，不对，仇视还算是一种负数的施力，他根本是个铜墙铁壁不透光的肉身地狱。他住在风景清幽的乡间，夜里能听见松涛的起伏，触鼻就是晚香玉的袭人香气，可是没有用，他什么都不爱。无论是四月的铃兰，还是春天的樱桃酒。他不爱吃饭，任何食物都让他蹙眉，他不爱睡觉，床铺乱得像狗窝，每晚他都睁着眼睛到天明……他是感觉盲。他是语言极俭省的人，身体语言和口头语言都是，他不爱说话，他不爱回答，他不爱抚摸别人，他不爱被别人抚摸，他不爱思考，他不爱做爱，一切引发快乐的运动，他都回避。

我常常想，没有爱的人，也可以有另外一些替代行为，比如赌马、打牌、学习古希腊语、收集女性内裤……怎么着都行，反正囫囵着把自己的一生打发掉就好了。但是，贝尔纳丹先生连这些爱好都没有，他的生活是一团肮脏混乱的虚无。他唯一类于生活乐趣的东西，就是把自己的厌世，像煤气一样，拿去污染别人，毒化别人的好情绪。比如，让邻居一到下午四点，就起坐不宁，因为知道自己平静的生活又要被打破了；或是，把妻子爱吃的巧克力倒掉，剥夺她唯一的快乐。他整天苦脸阴沉，让别人觉得在他的没顶痛苦之下，幸福都是一种罪过。埃米尔想了很多方法挽救他，直到最后，埃米尔才突然领悟，生命对贝尔纳丹，何尝不是一种负重。此时，以暴才能抗暴，也许这对大家都是解脱……埃米尔把贝尔纳丹用枕头给闷死了。

很牛的是什么呢？这本书，整个是用逻辑推进的，贝尔纳丹本人几乎是没有发声的，完全是埃米尔在那里想当然地推理。第一人称叙事的优势就在这里：读者会本能地同情“原告”。埃米尔要保护自己的私人空间和好情绪，为了这个，他可以去杀人，这种自我本位、近乎洁癖地求静，是不是也很暴力呢。如果换在贝尔纳丹的角度，他也没有杀人放火抢银行，不过是对别人做了一点连情绪排污都算不上的小小骚扰而已，居然招致死祸。也许我太较真了，以死亡收场，一向是荒诞派小说惯用的路数，所谓的“惊愕叙事”。就像武侠里加强戏剧效果的打打杀杀一样，不好当真的。不过，西方人是很重视自我，要是换成个中国人来写，可能是个物化文明腐蚀了邻里温情的读者文摘式故事呢。

人的裂变面目，是这本书让我着迷的地方，凌晨四点的时候，贝尔纳丹可以被自己的臆想折磨得发狂，跑去投书给邻居，让他做做善事自杀算了，到了清晨，那个理性宽柔的自我幡然苏醒，又拿了火钳子去把门缝里的信夹回来。“本我”想尖叫着把贝尔纳丹扔出去，“超我”却伸出手来，拦住“本我”的爪子，温情脉脉地请贝尔纳丹坐下喝茶。

诺冬的书，真像芭蕾，情节立足点很小，但是可以很大地承重。所以很理解她的刻薄，其实是种懒人做派，一件事，如果有N种表达方式，刻薄的那种一般是最节约表达成本，最利落的。比如她形容贝的丑老婆，“他的手边，牵着一团会动的肉”，简直是个“巨大的囊肿”，那种无智性的、依附丈夫、很动物化的女人形象，一下子跃然纸上。如果你要温情婉转地表达，起码字数得加一倍。

杜拉斯之水

气温已经攀升到38摄氏度以上，太阳直射下的人群，皮肤由象牙色变成麦色，又变成炭色，困倦，半昧不醒，意识模糊，见面说的都是最简单的陈述句——等到第一阵秋雨下来以后再抒情吧，天气已经趋于白热化，空气里干燥得跟火药似的一触即发，夜里被楼下一辆车的轮胎自爆的声音惊醒就再也没睡着，想着周围的人都在像三峡水那么又深又黑的睡意里载浮载沉着，自己的睡意呢——却是浅得只能湿湿脚且脆薄如纸，就嫉妒得要发狂。隔着玻璃看对面山角上挂着的月亮真是清明如玉呵，像东山魁夷的《明宵》里那个痴肥的白月亮，铮铮的亮，铿锵的兵气，野狗在狂吠……

我想该把杜拉的《直布罗陀水手》找出来看了，写极限天气中人的疲沓与绝望，经典啊（我总是忍不住把杜拉斯写成杜拉，也许是潜意识里老是觉得她精神不健全，把她和弗洛伊德的那个著名的女病人少女杜拉弄混了），关于杜拉斯我想说，她的作品，能读明白的那几篇，我倒是喜欢的，就是在实验期以前、写实期以后的那几部过渡作品，她的实验作品我是不看的，我看书的原则是高于自娱，低于自虐。我看的是：《直布罗陀水手》，又比如《平静生活》，她的好处在于她有痛感，可是她的处境多少有些两难：喜欢她的人往往不知道她的好处，能近身于她的人都怕她的巫气缠身。时下很多人在作品里都加了杜拉斯式的元素，什么多难的童年了，欲仙欲死的性爱了，这还是隐蔽的，至于朱文颖的《迷花园》简直就好似中国版的《街心花园》，又比如早一点的，赵玫，她就比较夸张了，整段的引用，她的文章里，不幸倒是蛮多的——可是没有痛感，把欧式的如血如荼的激情放到中国来，水土迥异，已经橘变为枳了，我们中式的爱情，是《诗经》式的，静美如玉，从容淡定，兼有叙事与抒情美（虽然最后也是要落实到男女关系上来的），我们的婚姻，是《圣经》式的：隐忍，克己，惰性，无为。这些先不详谈了，我眼下想说的是作品中的意象对我的蛊惑。

我这个人读书，有个要不得的坏毛病，就是往往只关注末节而忽视主流，我对书中的意象,往往比对内容敏感，最后演变成这样一种格局：读任何一本年代久远的书,都是读一种时代气氛，或是一种陌生地域的拟想，比如说到哈代和勃朗特,我就会想到苏格兰的高原，漫长的冰封期，春天到来时,漫山遍野的紫色欧石南花，冻实的红土，荒原上散落的石头垒起的古冢，篝火节时燃烧的荆棘，迟缓静谧的,如同荒原一般寡言的村民……至于对情节，倒是真的有点模糊，我还能记得埃米莉·勃朗特穿的一条铁灰色的低胸蓬蓬裙（有羊角袖子的那种，即使在她的时代也早就过时了，埃米莉却满不在乎地穿着它穿过校园，不理会那些有钱同学的窃笑，想起读中学时在继母统治下的张爱玲），很容易想象她穿着它戴了斗篷，素着一张脸，在荒原上逆风而行，走过丛生的紫色欧石南的样子，可我却想不起主角的名字了。

我耻于言及这样一件事就是：我对杜拉斯的亲近，有一个隐蔽的原因就是：她高频使用和水有关的意象。埃米莉是个船长的夫人,《直布罗陀水手》里的那个女人，整年开着她的船去寻找她的水手情人,《琴声如诉》的背景里，有海潮映衬下的微涨的市声，我甚至不能想象：这个故事不是发生在海边的，我也不知道,在杜拉之前，有没有人从母亲的角度写过这样一种爱情，非圣母式的一个母亲对儿子的刻骨的爱，混合着肉欲成分，一种高强度的爱，你必须咬紧牙关,才能克制住不让自己喊出声来的爱。这种爱在她写来,就像大海包裹岛屿那样与生俱来，理直气壮，或是像雨水无声地落入海中，静默的皈依。

虽然有大量的证据显示，杜拉斯的作品，多数是建立在一个女人说谎的天性和臆想症的病态发作之上的，但还是少有人能像她在《八〇年夏》和《平静的生活》里那样写海。我记得我把《平静的生活》里所有写海的段落都用荧光笔标注出来，这些发光的字句在渐暗下去的天色里灼灼逼人，荧荧不熄。我一直在想她为什么一直执着于海的意象，很多人都会习惯性地反复使用雷同的意象，比如大江健三郎就特别喜欢写树，尤其是热带的树比如由加利树，他太太就叫大江由加利，也不知孰为因孰为果。他书里的孩子都喜欢躲进树洞。树还是古老传说中灵魂的栖息地。又比契诃夫，他喜欢用的意象是死，他书里的人死亡率出奇的高，而且这个死亡并不是用来推动情节的，完全是无为的死。

《平静的生活》里，女主角在历经丧弟、失恋的创痛之后来到海边度假，所谓大海在这里只是代言一种极深的没顶的倦意，亲人在耳畔濒临死亡地挣扎，自己却还是木着脸在昏暗的灯光下埋头吃饭，弟弟的情人爱上了自己的情人，也只能“想象着大海，想象它是如何浩渺，极其渴望看见和我的疲倦一样恒久无尽的东西”，“我”终于去了一直因为“缺少诚意”而没能去的海滨，在日落时分的海边看着沙滩上的人群，觉得很欢喜，“我”害怕独自翻越那道分割着日与夜的“悲伤峡谷”，“我”觉得已经离开了过往的自我，却还在那个自我的身边浮游，袖手看海的时候，我知道我的暂避的厌倦很快会卷土重来的，我要为它寻找一个巢穴……

杜拉斯交替地写着海和女主角的内心生活，我看见她的心火，忽而是金色的烈焰，忽而是微暗的火，忽而只剩下余烬。我是见过大海的，在大海上方，白色的泡沫像鲜花一样盛开，人的思想也会被打湿，大海有一种无欲的黑暗。茨维塔耶娃则直言她不喜欢大海：“大海是汹涌的，充盈自我的，英雄色彩的……我怜悯陆地，它感到冷……”她把帕斯捷尔纳克比作大海。后来她又说：“大海即爱情，我不爱爱情；我爱友谊，像大山一样的友情。”——我猜她还是爱的，只不过是以放弃，以分离去爱罢了。

在《直布罗陀水手》里杜拉斯写的是一个被蚀骨的颓废

所击垮的男人，他有颇为细腻的内心生活，所以先验地消解了所有健康的人生观的基础，他觉得所谓生活简直不值得去生活，他痛恨他健康乐观的女朋友，其实她不过是个正常的女人，一个原人，有强大的欲力，求爱若渴，而他却是有点爱无能，而且已经给她逼得灯枯油尽。他们去炎夏中的意大利度假，热已经到了极限，城市都在静静地燃烧，太阳直射之下，街道上的灰尘都是金色的，杜拉斯用了好几页的篇幅去写这个极限的热度，我一直在想："这个女人啊，一点媚骨都没有，而且也太霸道了，她完全不去契合和照顾读者的情绪和阅读节奏，她觉得这是值得写几千字的热，她就气定神闲、丝丝入扣地去写。"

女友尽职地在度假，她参观博物馆、画廊、古迹，"我"却是整日地坐在咖啡馆里喝酒，我只是不停地在想念着一条传说中的河，在热得辗转难眠的夜里渴念着……"每一夜，我的眼前都出现一条河，它很大，结了冰，我温柔地把它叫作马格拉河，我潜在河里，天上有云，在闪着暗绿色粼光的世界里，在鱼儿和水草之间，然后我们浮出水，然后我们又潜下去，我们不说话……"

我在炎夏的夜里无望的失眠着，我甚至觉得我得了周期性的躁郁症，但我已经不想再去找一张地图出来划个圆圈就出发，用地理的跨度来克服心理上的失重了，我晓得我走到哪里也都是醒醒睡睡，睡睡醒醒，大约是我随身携带着一种叫作厌弃的罐装毒气，走到哪里它都会释放出来毒化那里的空气，就像《你那边几点》里的陈湘琪，去国千里，不为游学、观光，也不是谋生或谋爱，什么也不为，只是兀自颓废着。我想我能做的，就是去辗转地想念一条河，“它很大，结了冰，我温柔地把它叫作马格拉河，我潜在河里，天上有云，在闪着暗绿色粼光的世界里，在鱼儿和水草之间，然后我们浮出水，然后我们又潜下去，我们不说话……”

爱你，是一场奢侈的消费行为

厦门是个趣味非常年轻的城市，随处可见港台风的，轻倩可喜、明快别致的小饰品，都是日常家居衣饰之外的装饰物、调味物：做成两只拥抱海豚状的胡椒瓶、刺绣繁复的垃圾桶套子、嵌着好多彩色石子的水杯，一切实用目的的颠覆。“美即无用”，这句话是谁说的？王尔德？莫尔？反正我知道今年流行的衣饰风格是当年的王尔德之遗风：无用之集大成者，马裤加小马甲，只差手持一朵金葵花，我在厦门就能看到满街跑的王尔德了。当年，老王就是用这副妖媚的造型，迷倒了整个美洲。

这种清新明丽的趣味，调和了厦门另外一端的底色：工夫茶的涩和滞。它们的重合点是：对生活的把玩。从浊世中退后一步，有了时间和心态的余裕，才生了把玩的心境。我呢，既没有年轻到可以花半个小时去对镜试一副耳环，也没有老到可以在骑楼下摆一套工夫茶具，蹲踞在来来往往的美腿间喝茶。我絮叨了半天，只是想说明：在陌生的环境里，人有机会迎头撞上自己。

之前我没有发现，自己原来并不恋物，我在满坑满谷的小饰品店里，只觉得涨目，直到发现了冷冷清清的台湾书店，那冷清顿时把我的燥热给救了。纯属无心插柳，买到了这本《红颜已老》，苏伟贞的，台币二百二十元，折合人民币四十四块，繁体，竖版，人物对白，一句句挂在那里像一条条冰凌，每道冰凌我都很熟悉，我买它纯粹是为了怀旧。

晚上就窝在旅馆看书，说起来真丢脸，我像一只笨蜗牛，把同样的生活背到了离家千里之外的地方，饮水机就让它开着，咕嘟咕嘟，隔壁的宁波客人在搓麻将，哗啦哗啦，楼下有孩子零星地放烟火，噼啪噼啪，这些人间的碎声，都救不了这本书，它实在是……太干净了，太不染尘了。想来这就是我小时候喜欢它的地方吧，那时心火燥热，彻骨的清冷只觉得是清凉。

三角恋爱的难写处是：作者要有一种容纳异己的平视心态，一碗水要端平，这点女作家尤其难做到，主观的视角渗透太多。我那么喜欢皮皮的中短篇，可是她在《比如女人》里，明显就是有立场的，维护妻子，打压第三者，这下视点就给压住了，意境就很难打开。苏伟贞的小说也是一样的，只不过她保护的，是第三者。

书里的第三者是章惜，这个女人是淡墨出镜的，五官冷香，手脚长长，话少，冷凝，寡欢，无妆，不近人，粗麻布裙子上泼染两朵荷叶。苏伟贞和亦舒一样，都是偏爱性冷的白玫瑰，而喜欢把泼辣入世、欲力炽热的红玫瑰写成对立面，比如本书中的妻子守恬。但是亦舒笔下的白玫瑰，尚是有泥土味的，活泼泼的世俗空间里，活水养出来的活鱼，而苏笔下的几乎都是无土栽培的白玫瑰。可是无法回避的是：苏伟贞的价值也正在于此，与其说她创造了一类精神化爱情的路数，莫若说她创造了一类精神化女人，它的文字，它的情节，它的对话，都被苏伟贞收拾得干净极了。

文字的干净自不待言，苏伟贞的语感很好，用字都是稍微与日常用语有点错位的，有时为求语感新鲜，用的是险词，这样的句式俯拾皆是，“章惜的长发也没有剪，一脸仍是茉莉花瓣不明不白地放着香”，甚至有点不通，可是意境美极了。聪明的作家，知道描写意态所引发的注意力，胜过细描五官。

情节的干净则是，这明明就是个第三者插足的故事，但是被描述得清白无辜至极。章惜爱着有妇之夫余书林，他们的精神化、书卷气、避世，使他们的爱情，纯属同类项合并，像是两个躲在衣橱里互相壮胆的小孩。他们暗中苦着，交握着双手，他们不需要，也没有实体的接触，他们只有精神层面上最细腻的接触，比如一段精巧的、彼此才能会意地的对话，他们不是生活伴侣，而是智力游戏的对手，精神上的相濡以沫——苏的立意是不是：撇除了肉欲的浮沫，这样的精神失贞，其犯罪指数为零？

我要说她的干净，影响了我很多年，在我的文字、审美趋向里都可以看到痕迹。直到我现在年岁见长，才领悟最高境界的美，恰恰是被苏伟贞过滤掉的那部分：杂质之美，灰尘之艳，俗骨之腴，日常之碎。可是苏伟贞的真性情也恰恰在于此，她写不好一个她不喜欢的人，比如守恬，出于作家的责任心，还有知识分子的礼遇和涵养吧，她分配了一些注意力给这个角色。守恬被她写成“很迟钝，没有痛感，和爱读书的丈夫不能交流，穿衣服就是为了在人群中引人注目，天生价值观发达，看到一件东西首先问价钱，话多，性子热，好管闲事，好交际”，大概是为了掩饰心虚，苏伟贞反复强调守恬“倒是个好人”，这就是一个知识女性对世俗女性的粗糙误解，她掩饰不了自己骨子里强硬的精英心态，她是在俯视这个角色。而她对章惜，是多么爱怜啊，把这个角色放在手心里细细地把玩。而我，我说过了，在厦门我迎头撞上了自己，我发现自己并不是一个奢侈到能把玩什么的人。

书的卷首有苏伟贞的签名：苏伟贞，二〇〇五年七月，厦门。批发性质的签名，连敷衍的姿态也不屑做出，字是墨水笔写的，局部连笔繁复，字体左右不对称，整体尚算丰盈，写这样字的人，应该是心里纠结很多、表面却不会太铿锵、创造力丰富的人。苏伟贞最爱用的标点是问号，她的人物不停地在反思，她太宠爱她的人物了，给她们留下了太多的思索空间。我有意做一个调查，“作家偏爱的标点符号”，我发现诗人写散文时都会用很多破折号，详见阿赫玛托娃和茨维塔耶娃的札记，也许在诗歌里跳跃的意象，到了散文的地平线上很难着陆，于是用破折号缓冲一下。

我在厦门的小旅馆里，就这么碎碎地读，碎碎地想，碎碎地记着，这本书让我觉得冷寂。书的最后一节是余书林生病了，章惜去台北看他，结果看见守恬在病房内外忙碌着，脸上有一种“洞穿一切后的清明”。苏伟贞突发对这个妻子的善待，并大力提高了她的觉悟，只是为了引出章惜的引退，“她默默地转身，想着：有一种爱情，连看一眼都是多余的”。我突然很想跳进书里对她说：“不是的，不是这样的，正是因为我们生性清冷，我们才要彼此取暖，我们要看着对方的眼睛说话，我们要在夜深的枕边，一个温暖身体的依偎，熟悉的翻身动作、口腔气味，我们需要哭泣时依傍的肩头，我侄子只有五岁，已经能背下我的手机号码了，因为人是顶顶脆弱，是需要交流的动物。”

然而章惜呢，她回去找成孟延了，那是唯一一个能让她哭泣的肩头，“她想，自己是真老了吗？为什么一点都不再坚持了呢”。我突然想起来，我初见这本书时，它并不叫《红颜已老》，它叫《人生自是有情痴》，大陆版的名字，现在才悟出这个名字的好：人生自是有情痴，此恨不关风与月。岂止无关风月这类廉价触媒，它便是与施爱对象也没啥关系，它纯粹是一个人的自燃。如果把此中的悲意解成“红颜已老”，那就是个“色衰而爱弛”的套路，或是把这种“一个人的爱情”的悲壮气息，单薄地解为老去的疲劳感，就辜负了这本书的深意了。

附近的爱

我并不是很亲近“文人花”，看明代人张谦德的《瓶花谱》，里面有“品花”一栏，给众花编目，编排品级次序，比如牡丹、梅花、水仙为一品；蕙、海棠、宝珠茉莉为二品，一直排到九品，是剪秋萝、木瓜、牵牛什么的。……当然，相应的，也给花具做了编排，青铜觚、古罍、梅瓶、青瓷为贵，金银为俗器。

在苏州的时候，我去了艺圃，那是文氏家族的园子，主人是画家文徵明的后人——状元文震孟。他的弟弟，是写了《长物志》的文震亨，明式美学之宗师。不大的艺圃，书房倒有四间，中间隔着柏树、辛夷和山茶花，我看着几案，想给案头配上啥清供呢？应该是文震亨笔下盛赞的石菖蒲，一种摆在书桌上的香草（在位列表里名列一品），随风送来遥遥的清丽香气，书生晨读骤歇，手倦抛书，活火煎茶，顺便给石菖蒲换换水，歇歇心神，缓解目力……这些都是文人雅士的闲趣，我抬眼望望书斋外面高高的素墙，那是品位卓绝的园主，为花枝留下的画布，到了静夜月明之际，花影投上，倍添诗情……可是，关于石菖蒲，我更喜欢我的朋友老钟寺和我谈到的版本，他说这种草，在他们广东乡下，河岸水湄有很多，新年时放在洗澡水里，有清香，除秽迎新。

又比如桃花，在汉唐之前，都是烂漫绚丽、灼灼其华的欣欣生意之春花，到了明代之后，就被定为“格低”，妓女花，妖客。这种审美语境的格式化，把人类的文化势利，附会在草木身上，令人不快。最早的时候，我们和植物之间，不是这样的。

我比较喜欢《诗经》里的植物态度，比来兴去的都是手边的草木……我很喜欢玄武湖畔的水生植物，那天朋友问湖里是什么，我说：“这就是参差荇菜啊。”远处，还有《诗经》里的“蓼”。到了秋冬，芦苇就会随风摆荡，那就是“蒹葭苍苍，白露为霜”，还有“采采卷耳”（苍耳）、“于以采萍”的“萍”（田字草）、“彼泽之陂，有蒲与荷”（香蒲）、“果臝之实”的栝楼……都是日常系的植物。古人就是随见随记，从生动的眼前场景里，掐个枝，插在诗句里，从生活信步到诗歌中去，物象凝结成心境，植物是与人平等的主角，是心境的外化，是心情的映射，是活泼泼的生命态度。

我喜欢的植物态度，不是文人花，不是品花录，而是生根于日常、微花中见真意的“附近的爱”。

比如在川濑敏郎的插花书里看到：他去山野里散步，把一束红叶折枝，归家后，顺手就插一个秋叶为主题的作品，拿它记录岁晚既至的时间感；梅雨季湿闷，就用桃枝上的青涩小毛桃，信手插在素色瓶里，这是眉目青青的少年之恋，如清风般，驱散梅子黄时雨中的满腹闲愁……他的插花素材多是随处可见的：春来的油菜花、豌豆花、蒲公英，暑热中一朵自清凉的牵牛花，匍匐在青叶中殷红的小蛇莓，岁末农家一把沉甸甸的稻子。他喜用的菊花，也不是《菊谱》里的泥金香、紫龙卧雪什么，而是野径上最常见的恬淡小野菊——中国自产的“真菊”，可能就是这种指肚大小的黄白菊吧。我想着它们星星点点的黄色蹀躞在山野中，清逸落寞的样子，这才是我想象中古中国的瑟瑟寒秋意。

所有的植物都是平等的，它们都是时间的表情——书之岁华，其曰可读。而这些落笔天地间的植物篇章，绝不只是品级表上的高端者。人遇见花，被它的美滋养，心灵之弦被花朵拨动，用它来录入彼时心境，如此而已……不仅是插花，我觉得，文学，应该也是一种“附近的爱”。

日本民艺家柳宗悦，终身推广朴素实用的民间器物，他的小儿子柳宗民，是个植物学家，在他的生物研究中颇见乃父之风，他喜欢的都是未经人工培养的、带有庶民风味的日常习见的乡野植物，他还特地写了一本《杂草记》。还有爱散步的永井荷风，他总是乱逛到闲地，因为闲地是杂草的花园，他肯定是细细地看过每一丛杂草，才看到“蚊帐钩草”的穗子如绸缎般细巧，“赤豆饭草”薄红的花朵很温暖，“车前草”的花瓣清爽苍白，“繁缕”比沙子更细白。还有中国的陈冠学，他偏爱草，专门在院子里辟出一片地，养了四十种草，天天去看它们。

旧时北京的穷人过年，置不起啥子案头清供，就用一个红萝卜，削头去尾挖个洞，内种大蒜，用铁丝挂起放在朝阳窗下，红红绿绿的煞是热闹喜庆。周瘦鹃的盆景园、小园林、旧士子趣味的花木文章，我统统不喜欢，唯独他说有次把初秋结果的大柿子，扔在青铜瓶里，古瓶红果的场景，我揣想了很久。柿子是种特别家常的植物，在北京酷寒的冬夜里，在容带我去买水果，掀开棉布门帘，端出几个柿子，北方的柿子有腰身，就是“盖柿”，是冬天最贫贱的水果，大冬天被暖气烘得口干舌燥，此物正是最解燥的冷饮。我一看到红彤彤的柿子，就会想到寒素之家焐在手心里，那一点过日子的暖意。

又有一次，我坐在小凳上择芹菜，皮在我脚边玩，她捡了些残叶，插在废弃的布丁瓶里，做成一个小盆景送给我——在小朋友未被“格调”污染的直觉之眼里，美就是美，那个废菜叶盆景我保留了几天，在我眼里，它比什么一品九命的花都美丽。

家教故事

常读老欧洲小说的人，会高频遭遇到一类角色，就是家庭教师。其实我一直想查点相关书籍，但是手头确实匮乏。现在就泛泛地整理一下我的感性资料吧。二十世纪之前，女性尚未取得公开工作的平等权利，有一部分家境贫寒，又不肯依附男性的知识女性，就做了家庭女教师。在苏菲·玛索主演的电影《心火》里，可以看出来，女家庭教师必须擅长绘画（玛索给小姐的识字卡片都是亲自绘制，施以淡彩）、钢琴、歌咏、文学，并且精通至少一门外语。

贵妇人的职责是生育加泄欲工具，社交场上的熟练工，沙龙里的美妇人，杀时间的高手。所以，家教还要兼顾保姆之责，内米洛夫斯基的自传小说《孤独之酒》里，她的家教差不多就是身兼母职了，要安排内米洛夫斯基睡觉、吃饭、喝牛奶、做功课，和小朋友交际，临睡前讲催眠故事，帮她补袜子，洗衣服，疏导感情事项，度假时也住在一起。家教往往是外国人，一是习外语的便利，二是纵览各国人情，收集异域气息。比如纳博科夫就有来自法国和英国的家教。托尔斯泰的小说里，贵妇人家里都有法国家教，那时俄国人以法语为贵，常常要在社交语里夹带那么几句。

家庭教师可谓家庭地位低下，在长餐桌上，家教一般都是坐在仆人的一侧。《猎物》里，富家女婿卢克遭到丈人的鄙夷，特地把他的座次安排在家教身旁，用这种无声的方式羞辱他，卢克不堪其辱，奋起拼搏，最终爆发，但也付出了灵魂的代价。好的家教，忠心护主，主人会待以厚礼，也就是对忠仆的待遇，可以得到一份退休津贴。还有的家教去国离乡，无家可归，最后只能和主人一起终老。纳博科夫的回忆录里，就记述了他的几任家教，有一个脾气古怪、身材庞大、暴戾难处的老处女家教，年轻时避情伤，躲到俄国来教书。“一个人的过去，永远是他最温暖的家园”，她在俄国的千里冰封里，痴情枉种地怀恋着瑞士，哪怕过期的旧刊也甘之如饴，真待老来返乡，连方言都忘记了。这时她又开始追忆俄国，她浪掷青春的所在，一辈子的错位。因为身无长物，固定资产也没有，一旦被逐出家门，家教多半下场凄惨。

比较浪漫的家教故事只能发生在哥特小说里，比如《简·爱》。可是我读来读去，只觉得简·爱同学的妇解宣言里醋意盎然，“虽然我不美，没钱，可是在上帝面前，我们的灵魂是平等的”，是昂然捍卫自己的尊严？还是恼羞成怒？不是每个女人都有结实耐磨的灰姑娘心态。我疑心勃朗特自己也心虚，所以最后给简继承了两千镑的遗产，又弄瞎了罗切斯特先生的眼睛，人工调节了他们的落差，才让他们鸳梦重温了。勃朗特姐妹仨都做过家教，被孩子戏弄，遭主人刻薄，被其他仆役排挤，最后只能互相写信，安慰对方，相约永不嫁人，互助终老。

《简·爱》当然是臆想出来的。但是简·爱的话，反向揭示了这个爱情模式的不可行处，就是两个经济和社会地位悬殊、完全不平等的人，他们的爱恋，通常是通奸。比如男主人和女教师之间，像《安娜·卡列尼娜》里，安娜的哥哥和他孩子的家教有奸情，大家嗤之以鼻，“一个风骚的法国娘们”，而在世俗的眼里，这种爱情是牟利的，动机不纯，不可以被上流社会接受，只能埋在地下的。安娜就是为了开解嫂子，才踏上去莫斯科的路，也才邂逅了渥伦斯基。

最温暖的家教故事无疑是《音乐之声》，开朗赤纯孩子气的玛利亚，经历了重重恶作剧的磨难和摧折，最终赢得了孩子们的理解和支持，甚至那男主角也英气逼人，绝不老丑猥琐，据说还是真人真事改编的，真是运气好啊。

张爱玲的『不入流』，或者说女性语境的劣势

朋友说，张爱玲是不入流的通俗作家。我在想，对爱也好，对才能也好，很多人的定义，大概都是宏观的，要对时代有切身的关怀，博大异己的情怀，等等。而张爱玲，她所有的文章，说到底都是小女人的私见，很主观，她既不关心时政，也无意于民生，就是爱，也是攒给胡兰成一个人用了。所以，爱之者以为美，恨之者以为窄。

确实，女性的狭隘，僵滞了她们的思维半径。但客观地说，张爱玲不是一个仅有文字技巧的人，没有一个人能用完美的技术穿越时空，打动人心。张爱玲的花哨，是字面的花团锦簇，而她的立意，却很老实。前两天写气味，一下就想起张爱玲写的“回忆这东西若是有气味的话，那就是樟脑的香，甜而稳妥”，我心下一惊，确实就是这种感觉，太到位

了。张爱玲不是一个“无趣”的人，只是她的趣味，必须要心思纤细的女人，才能与她共振。倒是那个时代的疾呼者，他们喊的大口号，我一句也记不得。

张爱玲后期写过与新政权有关的作品，单薄而且疲弱，无甚穿透力，很简单，因为这并非是她真正的兴奋点。就像内米洛夫斯基写法兰西组曲，最美的那一段，仍然是写爱情的柔板，她有野心，想写时局，想写史诗，但女人很难写出男人的视角，这是天生的软肋。

这阵子，我同时看了两本关于日本文化的书，张燕淳的《日本四季》和李长声的《日边瞻日本》。关于两本书文字技术的高下、意趣的繁简我且不谈，只是张燕淳的书，我很省力地就阅毕了，而李老师的书，我硬是抱着求知、补常识、增加眼界的功利心，才算是看完了。绝对不是李长声的文采逊于张燕淳，而是语境的区别，我是个女人，本能地对生活化、贴己、低矮琐碎的事物有兴趣，比如孩子在异国幼儿园的磕碰、主妇的生活起居、和服的穿法、樱花节的吃食，而李长声谈的全是历史、人文这类公领域的话题。这样男女语境的对峙，随处可见——酒桌上、饭局里，男人一坐下就谈政治、谈赚钱、谈工作，家事国事天下事，事事关心。女人呢，永远是长短、是非、八卦，一地鸡毛。

操女性语境的作者，比如洁尘、张爱玲、安妮宝贝、亦舒，她们的读者，基本也是女人。最好的作家，肯定是男女脑并用，两种语境并行的，如曹雪芹，既能踮高脚谈社稷治国，又能在贾府内部搞经济体制改革，还能写药单食谱，也不忘用工笔描摹女性百转千回的心，视角伸缩自如，毫无忽远忽近的炫目感。

朋友的说法，还算是中正的，前阵子有个人是真把我激怒了。此人蔑视女性视角，文章里动辄就是“女人，缺乏情怀，很少有文章写得好的”云云，他看不起女人的精致纤细，也没有体味的耐心，且仇视情趣，统统视之为小资情调。那天某老师和我说，学术界尤其性别歧视，全是高瞻远瞩、术语林立的男性语境。我们还私下议论了一个据说是写得很好的人，某老师说：“犯得着么，写条狗他都能扯上国家大事。”

我不知道该怎么表达这个观点，就是：张爱玲的价值，就在于她的局限性。她不是尤瑟纳尔，可以孤岛写传奇；她不是乔治·桑，可以大度养情人；她不是高莱特，可以与父子同欢情；她不是桑塔格，落笔锵锵，代言知识分子的良心。她就是张爱玲，一个自私、自恋、计较、短视、痴着、拿不起、放不下、没有大境界、冲不破情网的小女人，她就是你，她就是我。秋瑾是如铁红颜，赵一曼视死如归，林昭临终奋笔血书，你能指望那么结实的神经写出张爱玲的文章吗？如果说张爱玲的文字只是一声叹息，那这可以说是所有精神生活的弊端，文字本身就是务虚不务实的。那句话怎么说的，“少一个莎士比亚没什么，要是少个爱迪生，人类文明要退步多少年？”

看《长物志》，我始终不解，为什么文震亨这么有等级观念，花草树木，都有“格”的高下，而在我看来，玫瑰和狗尾巴草都是唯一的，也各有其存在的价值，因为，它们来到世间，只为了成为它自己。

张爱玲的小资情调

骂张爱玲的男人真多，而且罪名都设立得让人哭笑不得。昨天我看见有个人说“她从头到尾洋溢着小资的情调”，不禁想起数月前，我和我妈研究完打折广告，直奔华联买了五十斤东北大米，平日里卖一块七，那天是一块五毛九,五十斤，可省五块五毛钱。话说我气喘吁吁把它拖回家，正在感慨自己的潦倒，那厢就看见有人写了几千字的长文，论证我是个小资，我很吃惊地问朋友，何谓小资？我窘迫至此，连饭都快吃不上了，还小资？我朋友说：“这有啥，有个男人就因为我养狗，也认定我是小资了，有些人天生就仇视情趣。”

有些以文推人的人，逻辑非常简单粗暴，判断一个人，不是从虚处，而该从落脚实处。一个终日泡妞的资深色狼，肯定写不出《洛丽塔》，同样，餐餐海鲜生猛的是贪官和大款，而他们，也绝不可能写好食记。最好的食记，是两种人写的，一是清苦文人，想吃又不得，只能任馋虫在笔端活跃，比如梁实秋、周作人、汪曾祺；另外一种是落魄世家，比如张岱和曹雪芹，都是在衣食匮乏、晚景凄凉中描摹当年的锦衣玉食，或是背井离乡或是改朝换代，靠回忆取暖的，比如唐鲁孙和王世襄。同样，张爱玲骨子里是清冷精神化的白玫瑰，所以她笔下最生动传神的，都是活色生香、肉欲炽热的红玫瑰。

人们总是忘记，文字最大的功用，不是操作，而是意淫。

那天我发了两个博客给朋友，一个是金牛妹妹，一个是天秤，都是热衷享乐的主。前一个博客上全是旅行照片、法语歌，另外一个上面都是冷门香水、意大利裙子，那标牌都是我读不出来的。我说你看看，这才叫小资，她一瓶香水是港币一千多，够我和女儿几个月的开销了，像我这种穷人有什么资格小资？撑死了也就文艺罢了。是啊，我每天都喝咖啡，那是家乐福打折时买的，三十四块钱，四十八袋，划到八毛钱一袋，也就是两袋豆浆，或男人两根烟的钱，还不是什么好烟。

同样，你去看韩良露、舒非易、蔡珠儿的文，再去对比张爱玲，就会发现其中的技术落差是很大的。那几个港台作家，写的全是吃喝玩乐，而且远远超过日常所需，都是短小的千字文，理念和文字都是快餐性质，无法深究，另外附带店家地址，有绝对的操作性，图片很精美，没有任何对世态人性的探讨，纯粹就是物质生活。我看叶怡兰的家居访谈，天，光是咖啡杯就有几百个之多，而张爱玲呢，去某处住了半年，连餐具包都没打开，就靠一个小勺子吃饭，什么叫恋物，什么叫小资，比一下就有数了。

并且可以发现一个规律，文字越精致的人呢，生活就越粗陋（当然，也有例外），这其实是个最简单的力比多原理，人的精力有限，每个人的分配都不一样。你看我如上所举的小资作家，个个都穿着精致，精于享乐，而他们的文字，都粗糙简陋；反之，伍尔芙成天穿粗布衣服，尤瑟纳尔落伍得让学生捂嘴嗤笑，再回头看他们文章的精细缜密——一个人的时间花在哪里，是绝对看得出来的。

张爱玲繁花似锦地堆砌物质，不外是反衬人性的苍凉与落寞；伍尔芙可以花几百字去描述女人的衣物，那是文学层面上的兴趣；尤瑟纳尔也会细考历史人物的穿着，那是治学严谨，和小资八竿子打不着。

我不是张迷，N多年没看此人的书了。但我不会批评她，虽说她通身都是缺点，按她自己的话是“我就是件镂空衣服？”但她至少很率性，敞怀自剖，从不掩饰瑕疵。批评她实在太低难度了，把人家自己端出来的供词整合一下就行了，这种胜之不武的事，我不干。

都是想象力惹的祸

那天和小曾还说，喜欢书甚于电影。后来周姐姐在旁边补充，因为文本会比较细腻地关照人物的内心。而且，好的电影，往往会浪费掉一个上佳的小说，剧本只要情节外壳就可以了。除非是情节剧，那是可以书而优则影的，比如《飘》。最近因为写“嫉妒”主题的缘故，编辑说可以引证《赎罪》，我一向是有严谨求证癖的，观影之后，就跑去查麦克尤恩的原书，结果发现，小说那个美味的核，在电影中完全被置换掉了。麦克尤恩想写的，不是妹妹嫉妒姐姐的魅力，继而诬陷姐姐的情人罗宾是强奸犯，他真正的重心是：一个小说家的心路历程，他发达的臆想癖和现实的不合拍、错音。

只要把笔锋倒转一下，《赎罪》就是个天才小说家的传奇。布里奥尼生活在中产家庭，一个风景如画的城郊豪宅里，没有同龄的玩伴，自幼与自己的想象力嬉戏，这些都滋养了她的臆想气质。她热爱秩序，把自己的娃娃整齐地放在他们的起居室里，而在小说里，她可以把这个嗜好发挥到极致，所有的人物都可以在写作中条理化。她需要剧本引发读者的惊骇，随之让他们爬上情绪的巅峰，纵身一跃，最后跌落在现实冷硬的平台上。读剧本的时候，她眼睛直视着每个人——她毫无内疚地要求家人在她施展叙事魔力时集中全部的注意力……每个写作的人，都应该很熟悉这种感觉。

良好的语感，就像使用熟练的身体会带来性快感一样，布里奥尼时时被文字搞得芳心荡漾。“回眸一笑”，那是主人公已经坠入爱河，“阴户”这个词，她在罗宾写给姐姐的情书上匆匆一瞥，立刻惊起波澜壮阔的生理性厌恶。也就是说，对她来说，文字所激起的快感和痛感，远远大于生活。

一个好的小说家，他体内一定会有一种转换机制……布里奥尼就是能直视她的幻象。“我看见了，我看见了”，她的真实，不是她的视觉性记忆的复制，而是她的幻象被逼真化了。她说强暴小女孩的人是罗宾，因为只有这样，她脑海中收集的事件碎片，比如猥琐的情书、罗宾和姐姐在喷泉边的对峙、书房里的身体相契，就能被合理化，就像一个小说家终于理顺了自己的情节流，使之可信一样。麦克尤恩也真绝情，剧终时，让她得了老年痴呆，对一切的控制力都彻底瓦解，不管是日常、男女、写作、记忆，还是她那野蛮的想象力也好。

我有点兴奋，这个主题，对我来说，比成长中的嫉妒好玩多了。小说家各有不同，一种是建筑在直接经验上，比如毛姆，他从不写他眼界之外的东西，如果他要写印度，他就一定要千里迢迢地奔赴现场，嗅到农民的体味，熟悉他们的起居细节，把自己的记忆库都填满，一直到件件都手到擒来，才开始落笔。毛姆本人就是一部活体大英社会知识百科全书：如果想知道艺术家的生活，可以看他写的《月亮与六便士》；如果想知道剧作家和演员的生活，可以看《剧院风情》。小到喝汤时出多大的声响，跳方步舞时搂住对方的几分之几腰围，如何使用小手帕，在哪家裁缝店做衣服，多少家产的绅士可以参加哪个档次的俱乐部；大到每个季度该给情妇多少赡养费……他随手亮一亮都是知识豪门的身家。

但还有一种作家，是靠想象力写作的。麦卡勒斯是个非常出色的小说家，但是她是个很失败的新闻记者，当她在报社实习的时候，时时受到总编的呵斥，因为她总是任性地篡改情节，她觉得真实的事件缺乏刺激度，就把它打乱重新编排……其实这也是她写小说的笔法，没有什么对现实的描摹和尊重，完全随心所至，她可以在没有见过一个哑巴、直接经验全然空白的情况下，塑造出完美的哑巴——辛格。我到现在都记得，初读麦卡勒斯时，那种心悸，哑巴辛格唯一饶舌的时候，就是对着那个胖哑巴，他的手指翻飞，爱意浓烈，其余的时候他是个结实的情绪垃圾桶，任人倾诉。他的手总是藏在裤袋里，沉默无语，像发育中小女孩藏起自己的初萌的胸部一样。这个虚构的哑巴，比任何一个我认识的哑巴都动人。

这种例子实在是数不胜数。香奈儿的自传里，说她在姨妈家的牧场里长大，十六岁离家私奔，海藻般浓密的长发，裹着百合般娇嫩的小脸。可是传记作家的考核结果是，她在保育院度过孤苦的童年，和十个小孩一起共用洗脸水和肥皂，毫无暖色背景的丑陋孩童期。海明威不停地对他身边的粉丝宣讲他前妻们的不忠和艳史，每个细节都水灵鲜活，可是，拜托！所有的事实都表明，先出轨的人是他自己。萨义德有讲台恐惧，上课的时候，一定把眼镜取下，这样他就能浑然地活在自己的思路里，模糊掉周围让他惊惧的学生。尤瑟纳尔一向是和她笔下的人物同声同气，她熟悉他们所有的生活细节，哈德良皇帝是双鱼座，另外一个是水瓶，到了生日她会记得给他们烤个小蛋糕，闲时她就对着臆想中的角色喃喃自语。

布里奥尼初显创作天才的，不是她的小说，而是她的这份诬陷供词，它毁掉了不只是两个相爱的人，还有她自己。她本来可以循着正常的成长程序，进剑桥，在上流社会的交际圈里觥筹进退，过完自己华美而丰润的一生，可是为了自罚，她做了一个平淡无奇的护士，隐匿真名，只剩下一个号码，在抹杀一切个性的制服下，便盆和生蛆伤口的恶臭中，最小收益地消耗掉了她的青春华章。对于一个在想象力里驰骋无疆的、占地为神的人，还有什么比对她个性的碾压更惨烈的牺牲呢。她用了半辈子，在小说里履行她的赎罪，给了他们金色的海滩、缠绵的绿地，让有情人终成眷属，这是她所能做到的善行的极致，对绝望的抗衡……罗宾和姐姐依然活着，依然相爱——当然这是不可能的。纵然她动用了小说家最大的权利，也不过只是虚构而已。

闲话才女

杂事忙完，在读郑姐姐寄给我的书，非常好看的《香奈儿的态度》，自觉很幸福。香奈儿于二十年代认识毕加索，彼时后者已经开始掀起立体派革命。香奈儿最好的女友米希尔说：“我来帮你防备这个男人。”香奈儿说：“我只要防备你就行了。”

我觉得香奈儿非常厉害的一点是抗干扰力。她这一生，接触过她那个时代所有顶级的天才，佳吉列夫、斯特拉文斯基、毕加索，但是作为一个极具审美力的女性，她没有被他们覆盖、湮没、溶解、吞并。

再说回毕加索吧。毕加索几乎逼疯了步入他私人半径里的所有女人，她们被他遗弃后都处于半疯癫状态，潦倒度日。除了吉洛，她有幸拥有一根结实的神经和废墟上再建的勇气和力量。再加上抽身尚早，得以全身而退——在她与毕加索的同居生活里，她完全放弃了自己的生活，沦为他的保姆、用人、性伴侣，更准确地说是性奴（据说毕加索的性欲堪比西门庆）。她和毕加索的女儿，帕罗玛，长大以后做了TIFFANY（蒂芙尼，珠宝品牌）的设计师，她设计了一款项链叫作“破碎的心”，是一颗金色的心，中间有一道瘀痕，里面嵌着细碎的蓝宝石，为了纪念她父母的爱情。

我非常佩服吉洛的自救力，看过发现之旅的纪录片。暮年的吉洛，脸上是支离破碎的皱纹，迷倒毕加索的那双绿眼睛明澈如昔，她在画作前面谈起她的创作生涯，一直在笑。毕加索的其他几任情人，奥尔加，头脑贫乏的舞蹈演员；玛丽，肤浅的美妇人；费尔南多，情痨的荡妇，不断需要新鲜艳遇的补给。而吉洛是个出色的画家。也就是说，除了情感生活以外，她还有自己的转轴，这种自转力，把她从泥泞的情伤中拯救出来了。

毕加索最仇视吉洛，我想是因为她有力地还击了毕加索自以为对女人百分百的控制力。天才都是一些被上帝选中的人，他给了你才华，敏感度，就会拿去你世俗的圆满，或者说，一种守拙才能得到的幸福。天才都是会飞的，跟在他们后面踉跄而行，多么卑怯而羞耻。他们的爱，像吸尘器，又像除草剂，强烈，芬芳，却会吸吮别人的生命力，他们所爱之地，片草不生。

那天和小诺说起这个事情，她在大学里教艺术，不无惋惜地说，入学时，成绩最好的，都是女孩子；毕业时，成绩表上往前靠的，全是男生，女孩子都去谈恋爱了，然后才华全毁。最蹊跷的是，才女如果爱上才子，风格都会被他吞掉。我说是的，女人和男人的心理结构不同，一旦恋爱，她的兴奋灶会全部转移到男人身上。圆满的爱情，像甜品一样会让人慵懒和松弛，彻骨的情伤，则会让女人元神尽丧，光华全失。

张爱玲写《色·戒》，让我感觉，这女人后半辈子，就只剩下一道伤口，她的心，就在这个窄窄的、逼仄的、锋利的刀口上，跳动、凌迟。卡米尔·克洛黛尔，如果她不遇见罗丹，她可能会成为一代宗师，绝不至于凄惨地死在精神病院。托尔斯泰夫人，才情出众，文能写日记，武能理家事，可是给老托逼得精神崩溃，四十多岁还脱光了衣服在雪地里跑。米列娃，一个自学成才的残疾少女，成了爱因斯坦太太，放弃了自己的奖学金名额和物理学家的前程，专心为丈夫打理日常，而碌碌的十年后，不经允许，她甚至不能上丈夫的床。

坚持自我的女性，伍尔芙，除了自己以外，把她老公那根健康的神经也毁了。文学史应该记住这个伟大男人的名字，他用自我牺牲滋养了一个天才。弗里达，和风流老公对抗的结果是：肉体和心灵满目疮痍。她最出色的病历就是她的画册，“我睡着的时候，我的痛苦都醒着”。尤瑟纳尔，在孤岛上终老，和周围的人事都无黏结，她解决寂寞的方式，是和她笔下的人物生活在一起。同事们说尤瑟纳尔的衣着都像活在中世纪。波伏瓦，她在精神上是非常依赖萨特的，和天才比肩的自得，是她骄傲的重要组成部分。

什么人最适合和天才生活在一起呢？《射雕英雄传》里，黄蓉的爹考核两个未来女婿，有一道题目是音乐鉴赏加内力测试，结果精通音律的欧阳克吐血告败，粗人一个的靖哥哥混沌胜出……无知者无畏，而勇者无敌。有一些事情，强作解人实属无聊，站在隔离带之外，安静地去爱，去呵宠，对未知事物保持谦卑和润泽的心，更好一些。所以，暴烈鬼才三岛由纪夫，一定要找个非文青做主妇，而内米洛夫斯基，至死她老公也不太清楚自己太太的才华到了什么段位，却到法国政府那里，自动请缨替太太受死，结果被当成送上门的漏网之鱼，一起抓到集中营里洗毒气浴了。

许仙法海黄药师

夜里睡不着，起来啃了个冰箱里的苹果，想找本不耗脑的软书看看，正好床畔有一本李碧华，且看她说“每个男人，都希望他生命中有两个女人：白蛇和青蛇”，我笑笑，把苹果核吐在杂物箱里，再看她继续分解，“每个女人，也希望她生命中有两个男人：许仙和法海”。

这从何解呢？她的意思大概是：法海是金漆神像，高高在上，俯视众生，你拼了平生力气，才能得君一笑（一夕欢大概都太奢侈了），他稍假辞色，你便雀跃不已；许仙是比较低处的那个美少年，依依挽手，细细画眉，软语相慰，贴心贴肺。

可是我的想法与她有异啊。我从来不觉得间接经验对实际生活有任何指导作用，或是有任何必要，因为生命是单向的消费品，有些事情就是纯体验性的，没有必要把自己的人生规划得处处盈利、满手累累胜利果实。有些事情就是美在途中的挥发，也因为这个挥发而纯粹。

这大概就是做女性专家，处处意图代言别人的弊处了，因为她说的，在这点上不能覆盖我，但是倒可以负面利用一下。这两种男人，大概就是我最讨厌的两种男人了。法海是个活在自闭的理论体系里，完全没有交流欲的男人，一个人性化的缺口都没有，除了自虐以外，我想不出正常女人有什么亲近他的动机。

我想起有一阵子做三岛由纪夫的笔记，也是面临相同的问题。这个人有绝对的智力高度，三岛由纪夫的笔记，很容易做得非常漂亮，你只要把他的华丽言辞剪裁拼贴一下就可以了。他根本就是一张附着答案的试卷。他太喜欢他自己了，他的聪明太外露了，他像一只猫一样，不停地舔着自己的毛，牵着你的目光，唯恐你注意不到他旮旯里的聪明。我看过几个人做他的笔记，基本都是在复制、在匍匐，我不知道别人怎么样，至少我感到屈辱，我不喜欢自己的大脑沦为别人思想的跑马场，或是把我的情绪像琵琶弦一样弹来弹去。

伍尔芙和弗里达都很自恋，但是伍尔芙自杀的一个动机，就是不忍心再连累为她的癫痫所苦的丈夫，弗里达就是拼了性命，也要用自己破碎的骨盆为迭戈生孩子。他们的自恋里，还尚有爱人的微光，而三岛呢，我翻遍这个人的资料，没有发现他有发散性地爱别人的记录，他的性格里，没有任何打动我的东西，纯智力优势的偶像，纯智力快感的恋爱，都不是我的选择。

至于许仙呢，呵呵，妾如藤萝，愿托乔木，这号纯娱乐性的，非乔木属的男人，绝对不是我的所爱。但是我又察觉了李碧华的聪明处：纯粹从文学角度来说，尤其从女性文学角度来说，这种阴性男人是一定要存在的，因为在他们阴性、绵软、没有责任心和担当心的灰色底子上，才能衬托出他们身边那个女人的刚烈和决绝，为一场爱情盛宴买单的豪奢与慷慨。就像非要有法海这种纯理念高度的人存在，才能激活青蛇体内的女性因子。

不信换个较有性格优势的男人来试试。比如，有一阵子我很喜欢黄药师，男人首先得立身啊，人家有桃花岛，搞搞房地产、旅游开发之类，物质丰收之上，可以玩点小情调了，偏他又情趣发达，琴棋书画无一不全，长得应该很眉目清秀，不然怎么生得出黄蓉那么漂亮的女儿？既然不用为五斗米折腰，玩点真性情也很容易，比如，对待敌人是冬天般的凛冽，很酷，有棱角；对待爱人是春夏之交的绵软和柔细，很人性化的酷：有明处，有暗影，软硬件都非常完美，可是黄药师的女人一出场就是个未腐的尸体！这个男人形象太丰满了，叶叶心心，余情不止，都没这女人什么戏份空间了，她只要做个尸体，做个情节中转的枢纽，做个遥远的精神图腾就可以了，她甚至都不需要为情节承重。想做一个完美男人身边的女人吗？黄太太的下场就是经典的，你只能变成一个苍白的切片。

文字形象的骗局

看了林徽因的传记，想起很久以前，看她的那些唯美小诗和散文。当时第一个本能的反应就是生疑，她的文字稚拙可爱，没有烟火气，但是，感觉很人工。记得还特地去翻她的创作年表啥的，写这些东西时，她已非二八稚龄了。这些诗，实在是和她的年龄和经验都不太匹配。她本人是个有颗舵一样务实的心，非常懂得把握人生大方向，合理避险，且有点大志向的女人，我想她就是那种把现实和诗情分离得很清楚，整体理性控局，局部短时感性，文字形象和现实面目有落差的人吧。

在我的经验里，这种落差比比皆是。比如张爱玲，不过她是反向经营，结果把自己搞得血本无归，也是意料中事。张的文字刻毒蚀骨，通篇都是算盘打得噼啪响的计较，人情，感情，金钱，利益。但是，和林徽因一样，张也是个文字形象和现实面目脱节的人，胡兰成遭难，避祸乡下，派人来求援，她二话没说就找了镯子递给来人。全然没有想到自己一个弱女子，乱世里也得有些防身银两。这哪里是一个精明计较的女人所能为之。

张是典型的聪明脸孔笨肚肠。文字里的装精逞强，不过是笨拙于人事、自抑成性的她，找个出口转移释放力比多而已。文字状态下的张爱玲，固然是满树繁花，枝节楚楚，而现实生活中，她却是个连日常应对都很畏惧的木讷之人。而林徽因则相反，她的文字干瘪细弱，纠结迂回，她本人却是个爽朗开阔、长于交际、话锋伶俐至极的妙人儿。由此可见，把一个人固定在她的文字形象上，实在是野蛮且幼稚。

有时落差是因为注意力的不平均分配，伍尔芙就是这样。她在文字里刻薄锋利，骁勇无比，处处把人往死角里逼，而在现实中，却是个混沌不堪的低能儿。她的聪明半径不外乎是她的小书房，一出了这个势力范围，厨娘不让她帮忙，因为她不是把戒指丢在面粉里，就是把调味料弄混了。丈夫不敢携她去社交舞会，因为她交际笨拙，不知进退，有一次甚至把衬裙都给穿反了。以伍尔芙的智性，应对这点柴米油盐算什么，只是她舍不得，她是高度的精神化，每一点注意力都用去补给自己的精神生活了。她对现实生活中的人并不刻薄，不是因为她宽厚，而是因为她对他们没兴趣。

理念有洁癖的人，多半会给人制造错觉，比如托尔斯泰君。托托同志太有自省力了，他体内有个二十四小时不停自我监控的装置，时时向他反馈个人道德指数的涨跌情况。为了维持大盘指数，老托同志非常辛苦，晚年他的文字，几乎通篇都是道德说教、宗教救赎。但是他对家人却非常冷淡，人情味稀薄，用他老婆的话说就是："家里的孩子病了，他都不肯抱一下，然后就穿个袍子跑出去，在铁道旁转来转去，寻找做善事的机会。"前一阵子看莎乐美日记，从浩如蓝藻的废话里，我总算淘出一句有用的，"我去庄园看了托尔斯泰，他似乎很孤独，家人都不搭理他"。

高瞻远瞩，常常造成近距离失焦。比如奥威尔君，他在生活中使用的名字叫布莱尔，可是他把全部的精力都拿去营养那个叫奥威尔的抽象存在了。重宏观，轻生活，厚此薄彼，那个"把全部的爱都勇敢献给他"的女人，差不多就是在他的眼皮底下，慢慢地被癌魔咀嚼吞噬的，而他呢，压根就没注意到这件事，因为他正忙着撰写政治小说，去打击极权，维护全人类的利益呢，实在无暇他顾。死之前，他嘱咐别人勿要给他写传记，因为，奥威尔这个名字太重，布莱尔这个名字太轻，他怕别人找不到兼顾调和的落点。

这种落差也可以成于双重自我的冲突。比如卡波特，他自小寄人篱下，性格疏离冷淡，凭着一身伸缩自如的迎合技术混迹上流社会，可是再看他的《圣诞忆旧集》和《小童星》，我从未见过那样春水般的柔软和温情，不能把这个平面地解释为表演人格，或文字演技，我倒觉得是卡波特那个潜在世事水面下的隐性自我之花，在文字里勇敢地盛开了而已。

有时，坚硬的文字，是因为作者羞于示弱，或者说是对自己柔软内里的保护和自卫心，比如麦卡勒斯就是，文字是沙暴触面的粗粝疼痛，可是人却是极度的纤细敏感易挫。朋友忘记回复的一封信笺，都能让她难过得失眠；还有米切尔，人人都以为她就是《飘》中郝思嘉的原型，也是那样不顾来日的泼辣生猛，其实根本不是，《飘》才写到一半，她看见有个九流南方作家写的垃圾文章，立刻觉得自愧不如，几乎封笔。她是个自信心严重匮乏的人。说起来生物规律就是这样：往往看上去越硬的，骨子里越柔软，比如河蚌，贝壳类动物，而貌似软体的，多半才是最毒的，比如蛇。

满口真理的人往往比较危险。因为，人都是血肉之躯，公共语系之外，他们也需要一个私话的出口。西蒙·波伏瓦，半个世纪以来的女权先锋，独立意志的形象代言人，看她的《第二性》，俯拾皆是格言语录，铮铮作响的大道理，拿支彩色高光记号笔画画，估计立刻满纸烟霞。“没有理由认为，劳动会剥夺女人的性魅力”“父权文明的价值与制度仍大部分存在，女性要争取自己尚未得到的抽象权利”（《第二性》），再看此人的书信集，整个一老八婆。妇解语系一下转变成“某是个和几千个男人睡过觉的放荡女人，五十岁，但极力使自己看上去像三十岁”“他是一个可怜的说谎作家，一个可悲的废物”。

也怪她生不逢时，找不到发泄口，个人经验，越是成天在文字里“温情”来“慈悲”去的人，翻脸骂人的时候就越刻毒，因为，他们的敦厚，都是后天修养调节的，你想那个被压抑的刻薄机制，一旦反弹，多可怕。温厚的人我也认识两个，一个是我妈，她没读过什么书，她做了一辈子好人，也说不出一句成形的大道理，另外一个是我外婆，一手养大了七个儿女，十来个孙辈。累的时候趴在硬木椅子上都能盹着，我猜她这辈子都没听说过“温情”这个词，她是个文盲，大爱都是无声的，文字表达从来也不是朴素的事情。

为人的劣势，有时是为文的优势

记得是去年看奥运会入场式的时候，突然生出这个念头。按常理推断，运动员是健康、力度与美的代言人，理应是标准身材的拥有者，但是慢着！每个国家的运动员方队都高低不齐，胖瘦不一，错落芜杂，几乎没有美感可言。举重的横截面太大，简直是横行，打篮球的是群聚的长臂猿，跳高的如长脚蚊子，体操队像侏儒逛街。

近几年我读了些书，由吃鸡蛋渐生对那只鸡的好奇，也陆续研读了不少艺术家的传记，阅尽无数文字形象的骗局，后来我慢慢明白，其实，很多为人的缺陷，一旦进入创作领域，就是极大的优势。就像运动员的身材都比较特殊一样，这是因为，每个项目，对肢体配置的要求都是不一样的。“美”“力度”和“日常标准”完全不是一个谱系的词。

比如“道德感的模糊”，在创作中，这叫作“视角的公正”。

我那天看一个女人，在那里解读张爱玲的严重道德沦丧。我想说的是，好的写实类小说家要克服道德感的干扰。去看下内米洛夫斯基的《孤独之酒》和托尔斯泰的《安娜·卡列尼娜》，其实托尔斯泰心里对安娜是抵触的，十九世纪末，社会风气闭塞，对一个背夫别恋的女人，人们都嗤之以鼻。按阿赫玛托娃的话说，“托尔斯泰骨子里觉得她是个婊子”，按高尔基的版本是“他根本不爱女人，除非她是个吉蒂那样的贤妇”。而内米洛夫斯基是个清教徒，对肉欲很排斥，她没有像托尔斯泰一样，她控制住了自己的好恶，而将对荡妇的厌恶，渗透进了《孤独之酒》里，关于妖妇母亲的解读，这本书是很失败的。

可以仔细对比托尔斯泰、村上春树、伍尔芙、张爱玲的散文与小说，这几个人有个共通之处，就是在小说中，不苟言笑，视角低温，而在散文中，却手势放松，嬉笑怒骂，连篇说教，流露出更多的个人感情——他们都是自命为小说家，以小说为主业的人，一旦进入小说创作，会重拳出击，本能地拔高技术指标，这个指标中很重要的一项，就是得和笔下人物保持距离，不能有过多的私情绪。

前几天又复读魏微的《流年》，里面写了作为贤妻良母的杨婶，突然有天自我意识觉醒，跟一个卡车司机私奔了——从头到尾，没有批判，没有责骂，也没有温煦的同情和对女性意识的疾呼，这不是娜拉出走，也不是红拂出奔，魏微私淑张爱玲的地方，不是语言，而是撇开道德，直视人性，众生平等，坏人亦然。她还有个很好的纪实作品叫《回家》，写的是妓女还乡，亦是同样的一碗水端平。

正义感强大的人，可以成为白求恩大夫、史怀哲医生、特雷莎修女、圣人或是慈善家，但不见得是个优秀的艺术家。（当然，同步的成功个例也很多，比如反战的黑塞）我常常在想，什么人最适宜做作家？纯白的好人不行，好人通常天真，缺乏对人性的深邃理解力，不能描摹出人的杂质和层次感。恶臭沉沦的坏人也不行，坏人往往性格虚伪，性情匮乏，无法击中他人心底最柔软的角落。

结论是：好作家，和我们大多数人一样，是居于黑白之间的灰色地带，时时活在激烈的争锋和挣扎之中的。

又比如，“自私”，在创作中这叫作“高度地专注于自我建设”。

希门内斯的老婆，癌症到了晚期，都无暇做化疗，因为她生活能力低下的老公需要她照顾，这种被疏忽、冷淡，甚至感情勒索的待遇，很多艺术家的伴侣都经历过，比如奥威尔的情人，或是毕加索的太太们。但是，如果这些人不吸干周遭人的血汗滋养自己，根本也无法全力以赴地去工作，你愿意要一个艺术史上的伟人还是一个九流的“家庭主夫”？

又比如，“易怒”，在创作领域中，这叫作犀利，词锋锐利。感谢主，鲁迅不是个宽柔慈悲的人，他这么的沉迷于打笔仗，对骂、掐架，分泌情绪毒素，我们才有了那么多好看的杂文集。

又比如，“神经过敏”，在创作领域中，这叫作“敏感度”。就像体操运动员的身材并不适合日用一样，艺术家的敏感，只能在创作领域内发光。而用于生活中，就像拿一个高像素的相机去拍人像一样，不但多余而且会惊现很多不愉快的瑕疵。很多艺术家都无法与人近距离相处。

又比如，“钻牛角尖”，在创作领域内，这叫作“严谨治学，高度求真”，张爱玲这个人，按胡兰成同学的话说是“连法币兑换都搞不清”，但是，她在虚处非常计较，晚年驳斥域外人对她小说的不当解读，一句都不让，丝丝分明，刀刀致命。我看青木正儿的名物考，注解繁复，什么旮旯里的信息都给他嚼烂了，后来听说此人生硬较真，颇不圆熟——我想了一下，应该是这样的，看他们的文章里那种几乎见骨、吹毛求疵的钻研精神，就知道了。

又比如，“自我”，在创作中这叫“个性”。集体项目、团队工作中，需要螺丝钉精神，但在艺术创作中，不能被同化，必须有自己的识别度，推陈出新，才能有新的流派。

第三章 深渊

男人久不见莲花

百合和荷花，都是画意大于写实美的花，最妩媚的荷花开在中国水墨画里，最圣洁的百合开在拉斐尔前派的画册里。不同的是它们的隐喻意味是被悬置在两端：百合的花语是禁欲，荷花却有色情的意味，还是中国式的色情，在香囊和荷包上，常常会出现绿荷托红莲，鱼戏荷叶中的图案。鱼喻男，莲喻女，“莲叶何田田”“鱼戏莲叶间”，男女情事都压制在图腾般的意象中了，这个实在是很艳情的。突然想起白居易的两个侍妾：钱钱和田田，实在是很拙朴可爱的名字。我总觉得钱钱是瘦且俏的，爱穿白衣服;田田是个粉红苹果脸，右边有个小酒窝。

我曾经在好多个夏日里，和他一起去看荷，我们每次走到那个他叫作断桥的地方就折回头，有时是刚下过雨，玄武湖的荷是一池的雨后妖红，有时候是落日昏昏，荷花的肌理细致，会折射出微微带着金属感的红光。这么走着走着，秋天就来了，满池的荷花都红衣脱尽，远远近近的，只看见枯茎垂折下来，是一个个水墨勾勒出的锐角。有不知名的水鸟，栖在那里，一动也不动，把头埋在翅膀里，我就横了心把它想成大雁。虽然我从未见过大雁。

今年没有去看过莲花，倒是吃过荷叶鸡、莲藕粥：用藕段加了莲子、红枣、红豆和花生，起锅的时候添一勺红糖。他说“好吃”我就再给他添一碗，他说“会不会吃得胖死”时，我就说“脸色红润我喜欢”。我在学一首歌叫“男人久不见莲花，开始觉得牡丹美”，等我学会以后，湖里的莲花就该谢完了吧。

风情是个倾斜的词

看卡萨特的《绝代美女》，除了“女”以外，这个标题的四分之三内容我都无法对号入座，左右思忖原因，是这个女人的姿势缺乏流动感，她的面容太端肃了，下颌骨又厚重，她的表情固定在下颌骨的底座上，就像她自己的纪念碑似的。说到底风情还是个倾斜的词，风情是——玛丽莲·梦露把左脚的鞋跟锯掉了半寸，使步态失衡，造就摇曳生姿的美感——风情就是道德感的一点点倾斜，体态的一点点倾斜，张爱玲是个明白人，在《第一炉香》里借乔琪的口说出“一个女人，太镇静过分了，四平八稳的，那就欠可爱”——结果薇龙倾斜得可不是一点点，她把自己都泼了出去。

看纳博科夫的《黑暗中的笑声》，里面有一段写到玛戈“在铺着红地砖的阴凉的房间里，光线从百叶窗隙射进来，成为一道道白亮的光栅，玛戈像蛇一样扭着蜕去了游泳衣，裸着身子，趿一双高跟凉鞋，踢踏踢踏踱来踱去”，我总觉得这是个走到半路的角色，后来这个角色吸收了一些黑暗物质，又生出了洛丽塔。纳博科夫的东西，顶好是当作一个老绅士的精致恶作剧来看，就像是曹雪芹笔下的茄鲞一样，用想象完成就最好。与现实对位，就脏而无趣了。

包法利夫人亦有一个性感的出场镜头：外头窗板放下，阳光穿过板缝，落在石板地上，变成一道一道的细线，碰到家具就会折断；苍蝇在杯子里顺着玻璃壁爬，壁炉里冷却的烟灰呈淡蓝色；艾玛低着头做针线，没有披肩巾，光着的肩膀上冒着汗。福楼拜擅长使用这种扇形句式，就是用一堆意象平行叠加，最后用个小口径的动作收口，使文字的诗情宽舒而有层次。意义就在意象的流动中被直陈，根本不需要辅以解析性的文字。

想来《红楼梦》里，宝钗输给黛玉的，就是一个倾斜度。妇德、妇容、妇功，她是处处都好，事事都懂得。她要求宝玉的，不过是个专心仕途经济，这亦是一个妻，最端正、最正当的一点点要求。有一些女人身上，具有建设性的东西，可以成就一个近身的男性。而玛戈、包法利夫人，她们却是具有毁灭气质的女人，她们会摧毁身边的男人。然而谁说毁灭不是一种乐趣呢？《黑暗中的笑声》里，那个男人就是在一步步把玩着自己的堕落和失陷。

然而，风情并不像歇斯底里、生理期、卫生棉那样为女性专用词，我常常会遇见有风情的男人。昨天晚上一个男人和我说了很久的话，我的感觉就是：这个人太性感了。我对性感的定义是：很男的男人，或很女的女人。这个男人，他的声音很糙，他的语速决断有力，他的话语铿锵，他的文字像重金属的冲撞。他的热力，或破坏力，一蓬蓬逼近着，与文字交接的地带，第一次见到这么男的男人，特记之。

写给一座城市

我不知道这是怎么回事，我像想念一个人一样想念一座城市，那座城市是厦门。

在我还没有去厦门之前，我对人家说，我喜欢厦门，人家就说："哦，你几时去的？"我说我没去过，人家就笑，我知道他们笑，是因为他们以为我在开玩笑，我不想花时间理清他们的逻辑，所以，我也笑了。

喜欢，并不是由经验生出来的，它就像拍岸浪一样，在出发时，几乎就已经抵达。我爱，是因为一个人的人格力量，也可以是因为他的千疮百孔，这些都不重要，也不相干，只要我爱，就足够了。事实上，我相信，在我认识他之前，我就已经钟情于他，只是见面以后，这件事才开始发生，对一个人可以，对一座城市，为什么就不可以？

由此我在那年冬天，去了厦门。我在大街小巷毫无目的地游走和穿行。我在早晨去了鼓浪屿，睡完午觉后又去了一次，晚上七点，一路坐车到鹭岛，对滔滔白浪，叹口气，把手里的可乐瓶子扔掉，又过了一次江，去听了半场音乐会。出来的时候，坐在台阶上抽一支烟，有恋人在我身边推搡着，打掉了我的烟，把我的毛衣烫坏了一个洞，我只是对他们微笑，他们让我的梦有了虫蛀，因而更真实。

我回去，走很长很长的路，分明有雨，也不撑伞，我走近我的旅馆，像接近一个温柔的墓园，白色的石头墙壁，门口两个陈年的红灯笼，在湿漉漉的夜色里，一点点浮出轮廓。在白日，我的眼神饥渴，我的脚步也饿着，我没有坐标，也就不知远近地走着，在夜里，我享受着愉快的疲惫，我每天睡几乎十二个小时，一个星期里，我睡完了一个月的觉。

有时，比如今晚，我会突然想起这座城市，我想他想得睡不着。他是伤口，也是创可贴；是跌倒，也是搀扶，是磨穿的袜底，也是洗净的补丁。豆豆曾经写过："我说过我来，就不会反悔的。"也是写给一座城市，可是态势就铿锵得多，我想拿这个打捞我自己，可是终究是不成的，也仍然是不相干的。

我一直在等那个听我说话的人

小时候，我很多话。一有叔叔阿姨上门，我就像小尾巴一样跟上去，放下小板凳，仰着脸，托着下巴，伺机截断他们的话流，像钉子一样把我傻得可爱的话题钉进去，他们总是略微敷衍我一下，蜻蜓点水似的，话题就飞远了。我去找妈妈，妈妈那时要伺候一大家人的衣食起居，忙得像陀螺，恨不得变成八脚章鱼手脚才够用。她总是把手头正在切的黄瓜或是藕段塞一块给我，大概是善意要我闭嘴的意思。这种交流挫折严重影响到我日后的语言风格，习惯直流而不是交流的人，多半都像我这样，少话，多思，一说起来就很快，跳跃，像湖面上的几块石头，几个关键词一闪而过，令对方不知所措。

再后来我就不爱说话了，我执意要等那个可以看着我的眼睛、耐心地听我说完话，在我说完之前，不会把头转过去，能和我信息百分百对称的人。我下定决心，闭塞也好，淤滞也好，等到那个人之前我就不说话，“那个人一定是老王吧？”炊烟问我，我说不是啊。我一想到老王气急败坏的样子就好笑，像个幼儿园的老阿姨，或是养了低能孩子的老家长，“你快点吃饭，不要说话，饭菜都凉啦！”“在外面不要乱说话，你这个实心眼，得罪人都不知道，大家都看见的事情，为什么你偏要说出来呢。”一开始老是想制造一些交集的话题，后来他一看我说话眼神就开始涣散，听到一半就开始跳转话题，我很伤心，再后来我就不说话了。

二〇〇四年开始在网络上写字，发现我把这个缺心眼也带到网络上来了。人家忙着伪善，我觉得不够酷，就积极伪恶。我大声、尖利、完全不顾及形象地在那里指点人物、激昂文字。然后自然会有些人说你不够温情朴素什么的，我这号SB都是给他们做反角配料用的。文字是什么？即演技，即脂粉。我一看到说什么人的文字朴素，或作者热爱生活之类的就好笑。热爱生活的人，像王信那样，一大早睁开眼睛就投入热火朝天的生活了，捉蚂蚁，逗小狗，上学途上还要和爷爷玩捉猫猫，才不会在文字里过二手生活。至于文字的朴素，就好像说一个人的妆化得好，“就像没化似的”，真是文字工作者自制的可爱悖论。

我觉得伤心，渐渐地在网上我也不太想说话，我始终都是那个自卑的、怯怯的孩子，笑的时候都要把脸扭过去偷笑，甚至在写的时候，我就拼命地在盘算看的人会不会疲劳，小心翼翼地布下兴奋点，讨好他们，生怕他们不耐烦，简直是一种奴性，真屈辱。

我还是在等那个人，就像你丢掉的另外一半一样。你见到他的那一瞬间，一切都已经被预设好，感情、印象，都已经储备到位，只等你轻触那个天亮的开关，你说的每一句话他都懂得，你开一个话题他就明白，你一交代关键词他就能感应到方位。那真是一个盛大的奇迹。认识他之前，你都生活在南极或格陵兰群岛，全世界的人都和你有时差，你说的话，他们过了宿，搁凉了，摆馊了，也就忘了。而这个人呢，他不一样，他和你在同一经纬。神说有了光，就有了光，你是对方的神。

奇迹会发生在相信奇迹的人身上，这句话千真万确，真的。

喜悦如莲

怀孕已经两个多月了，早晨去医院拿药的时候，医生说，下个月初再做一次B超，如果孩子成形了，差不多就算是稳定了。回家的路上，太阳跟白铁水似的往身上泼，强烈的光影下，一切都那么不真实，心里还在恍惚着。这个孩子到现在都让我觉得恍惚。

是七月中旬的时候吧，老是倦怠，疲劳，低落，厌油。但是思路怎么都没往怀孕这事上靠近，因为我体质不好，几乎是不能自然受孕的那种。我就一直和小风说要去做肝功什么的，后来等想到验孕，试纸上又出现阳性反应的时候，我一下子就蒙了。

当时的第一个反应是我得了激素类疾病，因为曾经有过相关治疗史，眼前一黑，心情是近于崩溃的绝望，绝望中，又生出一丝希望的微光，在想是不是上天看我最近情绪太灰败如絮，给我一点代偿呢。这个希望那样的微弱和单薄，无法依靠，在希望的巅峰和绝望的谷底里，颠簸不宁了两天，周一医院一开门就跑去做B超了。再后来就是医生用探头按住我，厉声说："你别再哆嗦了好不好，你抖得我都看不清胎心了。"

我哆嗦，一是因为尿憋得太急了；二是心里确实波澜壮阔地激动着。事毕我一边拎裤子直奔厕所，一边想：这小家伙呀，过去吃药打针他总也不来，他就是不肯借助外力，一定要在没有外援的情况下，由着自己的性子，来到人间，自己存活，真是个独立自主任性的宝宝啊，真有汝母之风啊（顺便自作多情一把）。

鉴于我的身体条件，医生问我要不要住院保胎，老王说我们先去考察一下吧。结果正值午餐时间，就听见病人纷纷抱怨伙食太差，然后就看见墙角一群病友肃立着，听某资深患者诉说当年事，"都六个月了，胎儿就是偏小，不合月份，医生说是病胎，活生生地打下来了，一个血淋淋的男胎啊，我爱人当场失声痛哭啊"。大家纷纷叹息相和，唏嘘不已。这种声色兼备、细节还原工整的人工纪录片，一下就激活了我的恐惧因子，在第一时间内我就开始两腿发软，手心出汗。这里住的都是高危妊娠病人，估计每个手里都攥着一把惨剧呢，我想好歹我也是孕妇了，保胎原则也应该以“眼不见病人，耳不闻恶声，心不想惨事”为主吧，我和老王说，我们回家吧。

到底给不良暗示了，回家以后一个人坐在渐暗下来的房间里，把那些病人对话的碎片咀嚼来反刍去，结果自己把自己吓哭了。他进来开了灯说你怎么了？我说我担心宝宝有事。此人以他一贯的精密、求实，然而煞风景的语气纠正我：“他还不是个宝宝呢。”我气结，反诘道：“是啊，我担心我的孕囊有事，你满意了吧，你就非要这么没有人情味的表达吗？”

确定怀孕之后，每天早晨我都很快乐地起床，总是不及梳洗，就挺胸凸肚做姿深孕妇状，摸着肚子，在镜子面前踱来踱去，某人在旁边掩嘴做葫芦笑：“你肚子都还没长出来呢，你摸什么呀你？”可是我真的高兴啊，因为我想着宝宝又长大了一天，他一天天成形了，越来越强大，越来越有力量保护自己，也就越来越接近安全地带了，我心里总想着，宝宝，你要加油啊。如果你能坚持住，待到春暖花开时，我们就可以见面了，我多么期盼那一天的早日到来啊。

姨妈打电话来问我的预产期，我骄傲地告诉她是明年三月中旬，是个双鱼座的小猪宝宝。又想起来姨妈不通星相之术，改口说“是头春猪”，还好她没听成蠢猪，姨妈很高兴，“明年是金猪年，六十年一遇啊”，我说不知道啊，我只知道种猪、肉猪和烤乳猪。

其时我心想：“什么金猪啊，分明是肉猪嘛，自打怀了这头猪，我的行径已堕落得近于老母猪，每天就是猛吃猛睡猛长，读书写字不说，甚至连看报纸这种最轻微的智性活动都不能做，老是思路昏沉（后来查出来是妊娠贫血），每天七点钟就开始睡意沉沉，夜半就给亢奋的食欲弄醒，眼睁睁地看着月色淡下去，天色亮起来，把他推醒给我买小笼包子和锅贴。”某斜斜地睇着狼吞虎咽的我说：“电视里的孕妇都哇哇直吐，很娇弱的样子。你怎么这么能吃？”我说：“嫌我没有审美快感吗？那没办法，谁叫我怀了一头猪胎呢。”

他嘴上这么说，其实我知道他的喜悦一定浓烈过我。他是个天性内敛的人，再大的风浪，到了脸上也是风平浪静，到我这里就一点余波都看不见了，我们很像小津电影里的父女，彼此关爱，照顾，絮絮地依赖着，却又隔膜。然而我知道他现在很快乐，有时晚上他应酬完回家，也不开灯，也不开电视，就是坐在客厅里一个人喝冰啤酒，经过了那么多商场征战，事业涨跌，人事风波，一次失败的婚姻，终于在近四十岁的时候，等来了他的第一个孩子。我知道，他的心里，也是和我一样，是涨得满满的喜悦。

那年和米拉去三山的时候，曾经看到过大片的荷田，彼时还是青涩的时节，但是可以想象荷风四起、红焰连天的盛景。我和他在客厅里无言静坐着，这时我才明白了喜悦如莲的境界，就是这样，你的心给喜悦胀痛着，角落里都是喜悦的余波，然而却说不出话来，只能默默垂手而坐，对视而笑。

出没在《诗经》里的植物

近日顿顿大鱼大肉，肠胃不堪其苦，中午的时候突然很想吃蔬菜，痴痴地想了一下午，设计了N多蔬菜方案。想做个火龙果爆干贝，周围嵌一圈西兰花，又觉得不够朴素，不够直奔蔬菜。回来时绕到久违的菜场，找了采光效果好的摊位，一个个梭巡过去。“要空心菜？”“有净菜吗？”“有啊，你看看，刚摘的。”指甲掐上去，哇，一掐掐出纤维来，“小姐的指甲好漂亮。”是啊，就是留着掐菜的，你没看我就蓄了这一只手指吗？想转移我的注意力，哈哈，小姑娘很会做生意，“那看看苋菜吧，快下市了。”“多少钱一斤？”“不多卖你，三块。”“妈呀，我总不能用吃肉的价吃菜吧。”最后斟酌再三，买了两斤物美价廉、宜家宜室的木耳菜。

一路想着回家第一件事就得洗菜，菜的水汽滤干了，加了蒜泥，热锅热油，爆炒，出锅以后还是虎虎有生气的，要是带着水汽，就趴了。有一次读植物谱，才发现原来木耳菜就是“采葵持作羹”的葵的一种。过去在《诗经》里读到葵，都以为是向日葵的葵，毛茸茸的叶背，触感粗粝可怕，想来即使把它切碎了，用油炖了，加盐和香料，味道也够困难的，想着就觉得古人居大不易，心生敬畏，最后知道自己又滥情了一把，原来葵就是木耳菜（木耳菜别名落葵）啊。如果油够辣，火够爆，菜够水嫩——上次在安徽，是直接在地里摘了吃的，真是肥美得很。很多素菜要借势荤菜或荤油，才能把清鲜味逼出来，或析出味道的浑厚，木耳菜却必须素油素炒，可见它天生不近权贵，是民间食物。“采葵持作羹”亦是民间生活的素笔写照，夯实、清减、微苦的民间生活，就是把素心、素性子、素长相的一盘子木耳菜，盛在家常的白陶盘子里端上来。“采葵持作羹”是可以入画的，为什么有人画大白菜、红萝卜，就没有人画这个呢？

常吃的复古食物还有它——莼菜。它在《诗经》里叫作茆，“思乐泮水，薄采其茆”，下一句，步不扬尘，穿着绣鞋紧跟上来了——“鲁侯戾止，在泮饮酒”，先是采了水生植物做羹，然后就着水景喝酒，水波微兴，清风拂袖，菜的美往往得靠软环境的烘托，这个，古人早知道了。其实古时吃的更多的是它的双胞胎兄弟——荇菜。春夏之交，路过荷塘，或是有水泽处，常见着它，枝叶都漂在水面上，密布着细碎的小黄花，逆着光看过去，金光蹀躞，烁彩翩跹，妩媚的水生植物。如果没有花的旁注，则它的叶很容易和莼菜弄混，它们都是荷钱状的，滴溜溜的圆。“参差荇菜，左右采之”“窈窕淑女，君子好逑”，水波滟滟，荇菜随水而动，采摘的动作也有种水性的流动和美。荇菜古时是贵族专享，这个采荇的女人应是贵族少女，难怪是君子好逑了。

莼菜盛产于太湖，上半年去三山时吃过一次，可能是季节过了，莼菜的边缘有点儿僵硬，口感粗粝起来，吃得我张口结舌，哪里是记忆中的莼菜，高汤一煮，就渗出黏液，口感中那种调皮的滑，瞬间即逝的滑，让人缅怀。莼菜胜在口感的圆融而不在味道。吴人嗜莼菜，自古“莼鲈”并肩为江南美食的意象载体，进而引发怀乡之幽思。吴人张翰在洛阳为官，见秋风起而思莼鲈，不惜辞官回乡尝鲜——多半是家里还有二亩薄田，基本物质资料不至于匮乏。莼较之于糊口的“葵”“茆”，是有贵族气息的。“双桨莼波，一蓑松雨，暮愁渐满空阔”，连莼菜引发的愁怀，都有奢侈的气息。

木兰——这种花现多栽于道路两侧，做观景植物，它的花瓣大而邋遢，不结实，尤其不经雨，一场秋雨则满地狼藉。“朝饮木兰之坠露”，可见它花面大，所以承水，就好比比喻人生苦短说譬如薤露一样，薤的叶面窄，落在上面的露水很容易就蒸发了。古人的比喻都很老实，但木兰可以制舟，这就使它笨重的意象轻盈起来，想想“兰舟桂桨”，召妓携酒，溪水流香，是多么美的意境。

留夷，今称芍药，红的为“红药”，白芍药则直称“药”。一直想写篇小说，里面的女主角就叫何红药，实在是香艳热辣的名字，芍药的花形类牡丹而微，但芍药是草本，而牡丹是木本，也难怪芍药开不出牡丹的气势与王气。这个药我也常常吃，有时是赤芍，有时是白芍，主补血，在药袋子里翻出几片干燥失色的根的碎片，但如果是用玫瑰入药则可见全尸。

楸——此树逢秋落叶，所以名之楸……这我就不懂了，树之枯荣，尤其是北半球的树，不都这个规律么，我一直以为小时候我家门口种的是榆树，如今看了图片才知道是楸。到春末它会悬坠一串串线状物，小时候我以为是榆钱，现在知道那是楸线，古代灾民常用它熬饥荒，可见其味不如榆钱，在盛世自然被遗忘了。屈原被逐出“郢都”的时候，回首

“望长楸而太息”，可知楸是宫廷的夹道树，后来才被生命力更泼辣的梧桐取代。

桃李——桃李常常被并提，一是因为它们花期接近，二是桃花艳红李花素白，古人为求色彩对比的观赏效果，喜欢将它们并植。“桃之夭夭，灼灼其华”，桃花开起来阵势很大，且花期又短，生得热烈，死得惨烈。“夹路桃花新雨过，马蹄无处避残红”，就像青春期一样。摔着，痛着，被践踏着，就这么过去了。桃花灼目，是日光下的花，李花淡泊洁密，更宜月夜。宋代大概是崇尚理学的缘故，重花格而轻花色，梅花清骨傲节，正是精神化的美，桃花直白肉感的艳丽被斥为“妖客”，明代以后更沦落成妓女的代言花，为什么《桃花扇》是桃花扇而不是梅花扇、月季花扇？这个心机也太露骨了。这让我怀恋《诗经》，《诗经》里的植物心态，要平和得多，它关注植物本身的功用，而不会带着人类的阶级色彩，强行把它们分为香草、恶草什么的，再附会在君子、小人身上，褒贬人事。生活在《诗经》里的植物，是幸福的，安详的，让我们隔着几千年，亦觉得亲。

图书馆的看门阿姨

图书馆在寸土寸金的市中心，它门前的开阔近乎奢侈，炽热的阳光，白铁水似的泼在地上，左边没有一棵树，右边呢，也没有。馆内却幽深且狭长，一进去就有阳光亡失之感，黑暗中沉淀出最黑的一团，是她。

瘦，漏，皱，透——她几乎与太湖石是同样的质地，瘦和皱是她的人：老且衰，皮肉松弛，皱纹滚滚；漏和透是她的衣服：多半是化纤料子的碎花背心，菜场较干净一角的摊位上，十元一件的货色。挎着菜篮的老太太们，一边摩挲一边还价，买来包裹自己身上一团不成形的肉。图书馆内的一切都是自动化处理：图书查询系统、存包柜，如果没有麻烦，没有人会意识到这个活物的存在。

但是如果你有了麻烦，她的润滑作用就……“你好，我没有零钱，能不能把包存你这儿呀？”“不行！”“我给你一毛钱就是了，我只有纸币，存不了柜。”“不行，不符合规章制度！”她非常锋利地截断了我的话锋，这才发现她的身后，有一张比她的脸还黑的《规章制度》，我试图把公事转化成私事，“阿姨啊，我赶着去办事，你看这……”她想了想“那我换一毛钱硬币给你吧。”她很公正，你和她公，她就公办，你和她私了，她就私办。

她好像身兼多职——图书馆有两个厕所，一个在馆外，一个在馆内，她的那个看守岗位近着馆内的这个厕所，有次看一个穿荷叶裙子的女孩子进去了，两分钟后，又出来了，女孩的男朋友帮她抱着包，结果她厉声把女孩叫住了，我们都怔在那里，我直觉地以法律的网眼打捞这个女孩子的行为，想不出她的过失，老太太徐徐开腔了：“你没冲厕所吧。”女孩子转身进去，冲完水，又出来，眼圈都红了，她的男朋友也僵在那里，我刹时想呈文立法机关，制定个“破坏他人形象罪”。女孩子妆化得工工整整，裙子和鞋子是同色系的，这么精细的装扮，可见对这个男孩子的重视……这一切，都得和“不冲厕所”一起沉淀在男孩子的记忆里了，女孩子走远了，我恨死这个老太婆了。

有时去借书时正好赶上他们吃午饭，每个人都从食堂拿了自己蒸好的饭盒回来，熟悉的人都在对方的饭盒里挑挑拣拣——由此我略知道些图书管理员们的帮派，每个人都有自己的“群”，一有时间他们攒成人堆群聊，有个长得较倜傥的男性是所有群的交集，她，这个看门阿姨，也是。我不止一次看到，他们拍拍她的肩膀，在她的饭盒里拣菜吃，然后夸阿姨的素菜都比肉烧得好吃，她只是拍着大腿：“哎呀，我们哪吃得起肉啊，老头子在床上躺了三年了，退休劳保什么都没的。”没人接她的话茬，人群渐渐散了，她也收了声，回到角落里打盹了。

我从未见过她笑，不对，见过一次——管理员中的一个女人，拎条死鱼样的东西在她面前晃悠，那是我第一次看见她笑，她大概很少笑，不会控制笑的幅度，一笑起来就近乎献媚，没有中间的笑法。再凑近了一看，原来那女人的手里提拉着一双白鞋子，穿得都翻了边，脱了皮，有一只鞋跟是歪的，白颜色的旧，又比其他颜色更是不堪。“你把鞋子拿去换个跟，还是羊皮呢”，那女人把鞋子扔她面前就走了。

后来我看见她穿着那双灰败的鞋子，歪鞋跟踩出一串噔噔噔的歪脚步，上面照常是碎花小背心，整个人像个长脚的彩色垃圾箱——我突然想起我小时候，妈妈总喜欢把我啃过的鸡骨头再啃一遍，我一和她上馆子就精神紧张，不敢吃任何带骨头的东西，生怕家丑外扬，其实这两件事真是不相干的，但是我突然没出息地心酸起。

这两天放暑假，上头又要来检查网络图书馆的实施情况，所有管理员都在加班，结果今天一去就发现，她，端然地坐在工作台前，还是那身碎花衣服，脸上的木然淡了些，就变成秩序在握的泰然——她更像一个交警而不是图书管理员，一手熟练地扫着还馆书的条形码，一手配合着扫一下图书证，动作行云流水。一只眼还瞄着进馆通道，看见挟包进去的人，就站起来，像手术钳子一样，把人家衣领一夹，活生生地拎出去，然后再坐回座位，迅速把表情从凛然调整回泰然——老太太不会笑，但严肃系列的表情层次丰富：木然，泰然，凛然。也许年轻时是有着泼辣的风情的。

回来的车上好挤，身后有两个女孩子在打闹，“你答出那道题没有？”女孩声音脆得像白莲花藕，“哪题啊？”这个甜得像藕莲汤，“就是波兰最伟大的钢琴家啊？”白莲花藕说。“哦，那个啊，说起来真是笑死了，我写的是乔帮，其实我心里知道是肖邦嘛，但这两天都在看《天龙八部》，老想着乔帮主、乔帮主的，就写了乔帮。”然后就是白莲花藕和藕莲汤笑作一团，再然后，我就下车了。

我的朋友小D

小D是我的小学同学，少时有一张没有识别度的脸，退伍后分在防疫站上班。有一次，他来给我家楼下大雄家的阿妹（注：阿妹是条美女狗）打三联针，正逢我放假回家，我一扬脸，就看见个帅哥，牵条帅狗，在楼梯上，参差的两张笑脸。这飞来的艳福也没把我砸晕。我摸下帅狗，绕过帅哥，继续前行，突然发觉不对劲，我和这张笑脸之间，好像应该可能也许或者至少……有点什么——邂逅的过程我就简约交代如上了。

小D在防疫站上班，常常要质检一些送检产品，他分管化妆品，因此在他追求——我暂且把他在我家的频繁走动定义为追求吧——我的那段日子里，我、我妈、我姨、我表姐妹的日常化妆保养品都给他包圆了。从洗面奶、保湿霜、滋润水，分类细腻到护手霜和漱口冲剂。小D的女人缘很好，德语里把男人分成男人男人和女人男人，前者是男人喜欢的男人，后者是女人喜欢的男人，小D，明显就是后者。

他下了班到我家来，四处环视一番，拿一本书翻翻，又合上，手气好翻到公子调戏丫鬟的章节，就多看几眼。我一背法典，他的脸色就比我还隆重——他对抽象的“学问”异常敬重，不过这个敬重无法转化到具体学习的动力上——让他去上夜校，考成人高考，他就把熬夜打牌的瞌睡劲全省下来课堂上用了。

他口才破烂，却非常爱说话，又句句打不到重点，我们全家人都不耐烦敷衍他，只剩下我半耳聋的老奶奶，一个表达障碍，一个接收障碍，咿咿啊啊的好像我家成了聋哑特护病房，被这种似爱非爱的雾化状态折磨得不耐烦。我就说你到底是什么意思啊？他也不多言语，第二天扔个扁盒子给我，我撕开包装一看，居然是丰乳霜，也是送检产品——彼时丰乳霜八十多块钱一盒，他大概觉得这就是隆重的示爱了，我总觉得在我和他之间，少了一本类于航海手册或词典之类的东西，可以把他的感觉翻介给我，解决一下我们之间的非交流状态……这段感情就像大多数单向的感情一样，还未来得及成形就无疾而终了。

小D从来就不是个能把自己的感情、语言、行为或房间收拾干净的人，如果他心里有个五斗橱是用来装感情的，大概十个抽屉里有九个装的都是模糊意义上的“朋友”。所以，对于收到出席他婚礼的邀请，我毫不意外，我知道，我不是第八个，就是第九个抽屉里被他抽出来放在手心里、无法弄清其功能的一团针头线脑。结果我穿了家常衣服就赴宴了，没做头发，没化妆，我给他的待遇也非旧情人式的。

他家不富裕，因着穷人的心虚，所以越发要在婚礼上铺张。老婆是淮南煤矿的，亲戚多，折合成容积是两辆大客车，落座在桌边就是满满的二十桌，好烟好酒好菜伺候着。散席之后，他妈妈和饭店吵得几乎对簿公堂，只因为饭店忙中忘记给一桌上饭后甜品。他红头涨脸地劝着架，大概是做了一天的新郎，扮大人扮得进入了状态，还真的镇住了场面。我对全新的他有些不适应，就跑出来抽根烟。夜已深，离了大厅里的喧闹，越发显出静来，没有风，风黏结在空气中，拉得出丝来，我叹口气，踩灭了烟，也没让他送，自己打车回家了。

结婚第二个月老婆就怀了孕，他妈欢喜得不行，都说这叫是坐床喜。他还懵懂着，他自己根本就是个小孩，每天早晨还要妈妈打电话来叫床上班，换季的衣服也要老婆打理。婚后老婆接了他妈的班，继续宠溺他。老婆长得糙，人却细腻，两人的工资她收着，钱不多，但都花在看得见的地方。“男人衣，家中妻”，小D在婚后越发衣冠楚楚起来，关起门来吃素菜是她自己的事。老婆疼小D是长辈式的，小D疼老婆是孩童式的，去麦当劳吃饭的时候给老婆带个鸡腿，老婆床前放了个零食篮子，每次篮子一空他就按时补足，最后大半又是被自己偷吃了。

有次路过他家，我和男友上去坐了几分钟。结婚都半年了，白沙发上的包装都还没拆开，估计是舍不得用，我和男友面面相觑，赶紧找了张木椅子坐下，聊了半小时还在边缘打转，没法接近事情的核心，他的谈话风格倒是没变。这时电话响了，他接电话的时候声音压得很低，言辞也模糊，男友凑近我说：“好像里面也有人在说话。”小D讪讪地说要收衣服，端了个盆进里间。我估计着是他老婆要小便，又不愿意出来和我搭讪。他虽不是我的，但却是她的宝，我只好做出强忍了委屈，很愠怒的样子，不至于让她的敌意，或是他的歉疚落空。

他老觉得日子紧，委屈了老婆和儿子，他觉得世界上最难的事，就是给老婆买衣服，太时尚的老婆怕过时，太朴实的老婆怕显寒碜，看得上的买不起，买得起的又看不上。逛完街吃饭，老婆拉他坐公车坐个几站路，离了市区，找条偏僻小巷，拣那门脸不大的小饭店吃几个家常小炒，这样的一天几乎是他们的节日了。他老想着再谋份兼职，就打电话给我。他有大客驾照，我找旅行社的朋友，替他拉了点业务，随他的车去了一次富春江。路过杭州的时候游客自由活动，路边有餐馆，我看他并没有请我客的意思，就说我来试试我的优惠卡在浙江能不能用哈？当然不能，我那张卡是江苏区域卡，我不傻，只是保全大家的颜面。

能让我付账的男人，一向不能给我压迫感，因此那顿饭吃得异常轻松愉快。暌违这么多年，我惊异并没有什么淤积在他脸上，或心里，他仍然是一个口才破烂，但又非常爱说话，说到一半话思路就凭空蒸发的人。我们身上都有不定的、流沙质的东西，他现在的表情有两种，一是对前程的迷惘，二是谈及儿子的时候，好像就有一个抽象的他从尘世的他体内分流，流向一个光明的所在，他的其余灰暗的生命都因此被拯救，他的话里有一些发光的碎片，都是关于他的儿子。

太阳宫九十块钱一张门票他舍不得买，儿子两岁了还不会说话，可是会把他拉到水池边，开了自来水，让他“摸”一下水流。他知道儿子的意思是要嬉水，也没和老婆商量，径自去买了个直径两米的充气小水池，回去吭吭哧哧地打气，前十分钟老婆一直在骂他糟蹋钱，十分钟后也就收了口，接过气筒继续打气。他心想亏了没买那个配套的电泵，老婆和自己的力气，吃顿饱饭不也就补回来了吗？一个电泵好几百，抵多少顿饭啊。老婆打完气后和他并肩坐着，看儿子在水里闹得欢，像条鱼，他俩也像两条闪闪发光的鱼——被汗腌的。

小D的脸仰起，对着空气微笑着，就像我们谈及我们心爱的人那样。他说你快生个孩子吧，我说我不想利用生孩子这件事。他绕开我的思路说，孩子可以是你的寄托。我说他是他，我是我，他没有义务成为我的寄托，我突然被小D搞得烦躁得不行，那种非交流状态，嘴唇面向一面沙漠的粗糙质感又回来了。那一刻我突然肯定，我真的是从来没有喜欢过这个男人，然后我体内骤然有种解压的释放，我想我以后，真的可以和小D做很好、很好的朋友了。

南京，南京

大年初二的下午，在街上游走，所有的人都去走亲访友或是猛喝海吃了，大街上，人迹寥寥，密度正符合我对这个城市的要求。W写《薛家巷》，絮絮几千字有余，常年写小说的人，有时一写散文就真絮了，其实是不拿它当正业，放手的缘故。青石板、晒衣竿、暮年老妓，那种旧时气味，我有点疏离，因为我是本地人。距离造就审美快感，而身在其中的人看到的，只是啮齿状的生活小烦恼。和我妈去教敷巷访友，剥落的青砖，一家人蜗居在一间房里，没有卫浴设施，粪便横陈的公厕，院子里的下水道、淘米水、洗菜水带来的蚊虫阵，我的妈，秦淮古韵，简直是一场噩梦。李香君故居楼上是老干部工作室，后者为和一个妓女同楼愤愤不已，上告到市委，妓女也妄想跻身忠烈？不过是朽木雕花，痴情枉种而已。

我在南京待了三十一年，外地朋友抵宁，到阿英煲吃饭，向东一指，五百米，是我的小学；向西一指，不出一里，是我的中学；南边八百米左右，则是我娘家；最远一次出走，是嫁人，也不过穿了个湖底隧道。这三十一年来，我的活动半径，居然不超过五里地。有次坐飞机从福建回南京，下云层的时候，窥见这个城市的远景，混沌，没个性，规划混乱，潦草敷衍，像超市的折价柜台，削价苹果靠着清仓羊毛衫，东一个高楼西一块广场，顿觉丧气。

南京地处战略重心，历来是兵家必争之地，人口流动性也大，这些都把它自己的个性稀释了。南京菜，兼容性太强，我都不知是什么菜系菜式，差不多就是苏杭菜、淮扬菜、徽菜的大杂烩，满街都是福建扁食、兰州拉面、江西瓦罐汤、无锡小笼包的连锁店，老南京个个吃得乐此不疲。

我一个朋友做医药，每每喜欢选南京做试点，因为南京人轻信、憨厚、不排外、低难度。谈恋爱时，爹妈一听我找了本地人，立时放下半吊子心。南京的女孩子也很模糊，话说地处吴头楚尾，却无江南女子的软和糯，内里精明，无四川女子的性情热辣，也无北方女人的喧闹热乎。南京女孩多数都面貌中上，端丽中正，不化妆，体形类于我们地产的桂花鸭，瘦而无骨，骨肉停匀，不过有点开口死。林立果意淫了秦淮流韵，起意到南京“选妃”，大概是没听过南京人说话——南京话隶属徽方言，语音浑浊，粗噶难听，恰似滚滚长江水。

南京美女的代表人物，可见梅婷，既无大红大紫，也无作秀，有种流动的适应性，什么角色都能填充一下，都是本色自我的延展，就是她的美，也是和谐善意，毫无侵略性的。再有一个是丁薇，她是扬子乙烯的，我几个亲戚是那个厂里的职工，所以她对我是种具体的存在，不温不火，也不高调炒作，出道九年，只做了三张唱片，媒体称她为“中国第一灵魂女声”。和一个姐姐吃饭，她定定地看着我说：“男人有时也喜欢和你这样的人交流，不需要漂亮的。”我说：“你是南京本地人吧？”哈哈，南京人说话，贴近本意，不是修辞。小Z有次和我说过某地人甜而冷的“分寸感”，我想这就是南京人匮乏的。

西北一带的文气躁郁生猛，东南偏港台风，偏珍珠奶茶味。南京的调和地气，养文人，没有北方的帮派意识，没有商业氛围，恰好在一个亚中心的地带，枯荣自守，自开自落，再远就闭塞，再近又焦灼了。我很恬不知耻地以为，中国最好的小说家，都在南京，苏童、叶兆言、毕飞宇、朱文、韩东、魏微。

上海人的小说里，有很多的物质，卫慧的《上海宝贝》，脱了CK内裤和洋人性交；陈丹燕的吧女林达，用钱包里所有的钱，在波特曼买杯柠檬水，品牌、格调，什么文字给这些名词一喷，都香气袭人。南京人生来没有对这些细节的敏感度。南京才女，我最喜欢崔曼莉，《2500公里之外》，一个女孩子爱上一个男人，跑到两千五百公里之外他的城市，给他打电话，说你吃饭了吗？和什么人在一起啊，之类之类，只有在恋爱中才能存活的废话傻话，然后又飞回来。我把这个小说下载打印，雪里梅花一样的清白无辜，看了几遍，喜欢得哭了。她在长篇里写口交，我惊奇她的口交比好多人的握手都干净，我很恬不知耻地以为，那种干净，只有在南京才理直气壮，换成任何一个更功利的城市，这样白痴无果的爱情都让我蒙羞。

命运感

最近，常常有些触媒会让我想到“命运感”。

别人博客上看来的：“‘张华考上了北京大学；李萍进了中等技术学校；我在百货公司当售货员：我们都有光明的前途。’——《新华字典》一九九八年修订本P673……编字典人的这种纯真，我不知道是该抽他/她耳光还是该拥抱他/她。”

皮皮一点没辜负给她起的名字，异常健硕调皮，唯一的安静时段，是听音乐的时候。睡觉前，我会抱着她在被子里，听手机里的广播，中波97.5兆赫，江苏音乐台，还是上学时听的频道。皮皮用四颗小乳牙拼命咬耳机。我有点恍惚，旧歌的旋律，几秒钟就能辨识出来，那是一个充满安全感的、边缘清晰的岛屿，意识一下子就可以靠上记忆的岸。一个接一个的惊喜，《化装舞会》《大海》《昔日重来》，暑假的小蚊帐里，微风吊扇轻旋，我第一次的郑怡、张雨生、卡朋特。

忽然发现，广播也有一种奇异的命运感，听碟片，下载歌曲，都可以自行快进或快倒。把不喜欢的歌删掉，径直跨越，忽视。广播不行，好歌、坏歌、难听的歌、不通的歌，都得任人施与，全盘接受，没有还价的余地。命运就是那个陌生脸孔的DJ播音员，隔着你看不见的网，用最温柔的声音，把最难听的歌放给你听，你得自己慢慢挨过这个泥泞沼泽、不耐、抵触、厌倦之后，发现对坏歌，更应该心怀感激。因为，坏歌之后的好歌，才分外好听，如果全是好歌，很容易疲劳。

S问我，你怎么会觉得幸福呢？我说，因为有些小时候的阴影吧，所以，对现在静谧的生活，就很满足。那种备受呵护长大的、习惯了甜美生活的人，自然有求全的奢念，白水也会觉得苦。

继续夜读《〈诗经〉名物新证》，已经熬过了最初关于社稷、祭祀、周的东征、各国疆域划分之类的枯燥地带，到了《国风》，里面有好多草木名。有的眼熟，比如“终朝采绿”“采蓝”里的“蓝”和“绿”，都是植物染色剂。去年看过《蓝印花布》，知道现在浙南、广西啊，很多地方，还用靛草，也就是板蓝根染衣服，如果是新婚用的百子被，都不能下水，初夜的时候，蓝会上身，留下植物清芬的印记。有些材料，则让我心惊，比如，庶人可以随土地赠送，买一赠一，像我们现在的超市搭售。一个人约等于五分之一匹马、一束丝。他们民生艰苦，吃藻食苦菜，这样的苦境下，还在唱着“八月剥枣”“七月食瓜”。

即使身体都不是自己的，但是，活着，糊口之后，就想穿得漂亮，还想开心。这也是命运感。

回爸妈家，还是住在小时候的屋子里。爸妈家没装修过，杂物多，陈设破旧，却觉得很心安。我到现在还是怀恋多年前未走国际化路线时的《瑞丽家居》，日式风格的，很小家碧玉。小小的样板屋里，一应俱全。壁橱里是四季衣服，墙上挂着黑白照片，阳台上有盆栽，格子桌布上是单人咖啡炉。床头的墙壁上，安装了木板支架，放照片、书，还有床头灯，可以想象临睡前看看书的私密时光。最动人的，是到处都漫溢着“我一个人住”的那种气氛。因为物质的拥堵吧，一点都不觉得孤寒，而且，在青春朝气的润泽下，角落里都有“马上就要发生点什么”的秘密窃喜。

尘埃落定，是命运，可能性的盛放，当然也是。

前两天，想去订购一个早餐吧，就是一种组合小家电，左边是保温咖啡炉，右边是多士炉。但是，我的生活里，早已没有“一个人住”的那种氛围了，遂作罢。

可能性的盛放，是命运，尘埃落定，当然也是。

精神生活是可鄙的吗？

我这两天在复读托尔斯泰的回忆录,《童年少年青年》，译者是草婴，我记得有次在央视看见他被采访，说他在“文革”里被打成右派，体重不足一百斤的他，每天要扛一百多斤一包的水泥，有天听到咔嗒一声就痛晕过去了，医院诊断结果是十二节胸椎骨折，不好用绷带，也没药，加之他当时的身份，没有资格住院，就是躺床上等死。草婴仰天躺在块床板上半年，吃喝拉撒都在上面，后来总算腰骨自己痊愈了，但也落下了沉疴。我想起他翻译托尔斯泰全集，都是在“文革”之后的事，他是二十年代出生的，当时年过五十了，而他五十岁以后的作品，数量上不亚于他之前所有的精神分泌物。

《东坡志林》里，写苏东坡和儿子被贬海南，搭了个打珠的小船过海，风浪大作，风云压顶，他说了一句话，具体我不记得了，大意是，天若佑我过此关，吾辈必济。我想草婴这个晚年奋发和苏东坡大难当头时的立誓是一个心意，就是，我见识了生之不易，一定要拿我从老天爷手里夺回的时光做有益的事。

前一阵子家里有事，情绪非常低落，惶惶不可终日。每天都从家步行到绣球公园，再走回来。布鞋都磨坏了底，水泡变了老茧，最后成了鸡眼一样的角质层。等到事情慢慢平息，我又开始看书，看杨绛回忆录，她说“文革”时不觉得苦，因为单位冷落他们，反而可以从容地看书，比沦陷区的时候幸福多了。

这些人，这些事，都让我深深地被打动。因为里面有信、望、爱。后来猪头把文章拿到老周那边去，他们说不好，喜欢我过去刻薄的笔法云云，大概是觉得我太主旋律了吧，其实我想说的，不是杨绛不畏强敌的高尚品质，而是一个人与书本相亲，那种信任感给我的感动。

很多人说，要远离文艺，投身生活。我不敢这样说，因为我不是知识分子，我不是知识的拥有者、传播者，或靠它为生的人，不具备这种亲缘关系，所以，对它只好持一颗敬畏之心，不能说它的坏话。律师可以说司法不公，医生可以说医疗黑幕，劳苦大众可以说劳动低下，人都喜欢贬低自己手边的东西。我一朋友从十八岁第一次结婚，屡被骗财骗色，到现在四十出头，没孩子没男人，只剩一个坏掉的子宫，还有一身的情伤。每次听她说苦难史都让我胆寒……她与生活耳鬓厮磨，才有底气说生活的坏话。

我不太明白，为什么文艺和生活就是敌对、二元的呢？每年跳大桥寻短见的人，好像都不是知识分子啊，人家没知识，不代表不思考，不钻牛角尖。我一亲戚就因为少加了一级工资撞车死了。草婴在“文革”时翻译过灰皮书，就是一批翻译家，不署名的，每人几章，像流水线一样译出一系列世界名著，这些书，是当时中国仅有的外国文学著作，被多少青年秘密相传，爱若珍宝，染上了孩子们的手汗和轻尘，翻得边角都破烂了啊。它们，是那个时代仅有的异于主流高大全文学、口号、语录的声音，精神火炬。二十世纪八十年代初，文艺作品刚刚解禁时，多少人在新华书店门口排队等着买它们。草婴他们，就是传递火炬的人。而现在呢，特价书店遍地开花，知识垂手可得，学历人手一张，于是大家撇下嘴角，鄙薄着书本。

从什么时候开始，精神生活成为可鄙的事情了呢？其实我觉得最重要的，不是返回俗世或是过精神生活的问题，而是信心。文艺青年信任文艺，俗世之人畅饮一杯丰腻的世俗之水，求仁得仁，各得其所，信心与爱方向一致，人就会活得快乐浑然。再看看草婴怎么说："我对自己所做的事情、所走过的道路，都是无怨无悔的。因为我觉得在每一个历史阶段里，我做了我力所能及的、最应该做的工作，我不曾有过自怨自悔的情绪。我精神上始终没有垮，所以才可以坚持下来。"

我并不想褒扬文艺青年，但是我的文青朋友们，都是非常温暖和真挚的，日常谈笑互娱，患难的时候扶持，就说这次我有麻烦，要给我汇款的、寄东西的、找关系的、坐火车和飞机来看望我的，都有，还有什么忙也帮不上的，就老给我打电话问进展如何，他们让我觉得不孤单。一个信任文艺的人，骨子里往往有天真的东西，这个东西，让他们不务实，不适应生活，不够圆熟、合群，也不容易快乐起来——他们多半都是没什么财势的loser（失败者），但是也是这个东西，把人心的距离缩小了。

我妈和书

我妈今年六十三，是个朴实憨厚的主妇，家务之余，偶尔会翻翻我的书。朋友寄来的书，有时我还没来得及阅毕，就给她老人家捷足先登了，她告诉我，最近有两本书，她看完了，觉得很好，一本是《布鲁克林有棵树》，另外一本是赖同学给我寄的台版书——《不用读完一本书》。我从不评论没看过的书，但是我相信，一本连妇孺都乐在其中的书，一定是浅显、质朴、感人的。

早晨皮皮调皮，坐在小床上，闲极无聊就撕书，一页页地，撕木木阿姨给她买的小熊毛毛画册，我妈看见了，盛怒之下，狠狠地打了她的手心，然后当着她的面，把书一张张地粘贴好了。皮皮抽噎着睡着了，我妈的头发在晨光里泛着白光。

我妈初中毕业，没啥文化，但是她非常爱惜书本。家里我用过的课本、翻过的画册，甚至宜家宣传手册，她都一本本摞好，收拾整齐，教育部改过好几次大纲，画册上的明星都已经结婚生子，那些书早就信息落伍，成为遗迹了，她还不忍丢弃。这里面，有种无知阶层对书近于宗教情绪的敬意。这些日子，我认识了一些书店经营者，他们都不是科班出身，基本是农村的，对书籍的热爱，源于农闲时翻弄的连环画，可是他们却营养了无数的读书人。古人尊崇文化，有字迹的纸张都要集中焚毁，我妈对书的盲信和膜拜里，就有这种古意。

我妈出身小资本家，少时受到家庭出身连累，八岁就下乡，一直到十二岁才回城上学，她一辈子都头脑简单，非常稚齿，大概就是因为入学太迟，心智发育滞后。初中毕业她去建设兵团插队，返城后结婚生子，后来我爸上电大，她专心做家务，照顾我。（她觉得上大学是件神圣的事，哪怕是电大，其实我爹大多数时间都在约同学搓麻）我还记得小时候买书是多么理直气壮，就是在前面翻着翻着，看顺眼了，就一摞取走，反正我妈会老老实实地跟在后面付钱，其实她自己非常俭省，连眼镜都舍不得配新的，活活把视力都累及了，到现在，只能趁天光做饭，一到天黑就全靠手摸。

夜深时，清点自己的没心没肺，几欲落泪。我时常觉得自己是一条河流，青春正盛时，又窄又深，爱恨嶙峋对峙的两岸，日夜被汹涌的感情席卷波动，求安不得。待年岁渐长，慢慢接近出海口，日益平缓和开阔，学会把途经的一切险恶的人事都化为营养的水滴。我妈和我老公一样，他们都不明白我心底的波澜，看不懂我笔底的波澜，至于鳞纹更是无视。但是却日出而作，日落而息，孜孜不倦地照耀着我，让我对人世的信心，始终没有被冻结。

世界上最幸福的事，就是做一个巨蟹妈妈的女儿。我一想到我妈有天会辞世，我从此茕茕，就非常惶恐。后来屈指算了下，好歹那时我也五十多了，估计也离死不远了。那天和高教社的何大姐吃饭，她说起自己的女儿，简直有种恋爱般的痴着和狂热，她说她女儿毕业时对工作地点的唯一要求，就是靠近妈妈。我说你是巨蟹吧？她说是啊，我女儿是天蝎。从此我就开始不厌其烦地骚扰我的每个巨蟹女友，让她们生天蝎女儿了。

图书在版编目（CIP）数据

私语书 / 黎戈著 . — 北京 : 生活书店出版有限公司 , 2017.8

ISBN 978-7-80768-203-5

Ⅰ . ①私… Ⅱ . ①黎… Ⅲ . ①书评—中国—现代—选集②散文集—中国—当代 Ⅳ . ① G236 ② I267

中国版本图书馆 CIP 数据核字 (2017) 第 154437 号

插　图　有　鹿
策划人　邝　芮
责任编辑　邝　芮
封面设计　罗　洪
责任印制　常宁强

出版发行　生活書店出版有限公司
（北京市东城区美术馆东街22号）
邮　编　100010
经　销　新华书店
印　刷　北京汇瑞嘉合文化发展有限公司
版　次　2017年8月北京第1版
2017年8月北京第1次印刷
开　本　787毫米 × 1092毫米 1/32　印张11
字　数　150千字　图12幅
印　数　00,001—15,000册
定　价　45.00元
（印装查询：010-64059389；邮购查询：010-84010542）